Tu ne m'attraperas pas

Jennifer McMahon

Tu ne m'attraperas pas

Traduit de l'américain par Sylviane Lamoine

ÉDITIONS FRANCE LOISIRS

Titre original : *PROMISE NOT TO TELL*
publié par HarperCollins Publishers, New York

Édition du Club France Loisirs,
avec l'autorisation des Éditions Belfond

Éditions France Loisirs
123, boulevard de Grenelle, Paris
www.franceloisirs.com

*Pour ma mère,
qui m'a appris à croire aux fantômes.
Et mon père, éternel sceptique.*

Prologue

— Quand la Patate a été assassinée, son meurtrier lui a retiré le cœur avec un couteau. Il l'a enterré, mais le lendemain elle est ressuscitée, pile à cet endroit.

Fourrageant dans le feu de camp avec un bâton pour souligner ses paroles, Ryan fit jaillir une pluie d'étincelles dans la nuit.

Opal se rapprocha de lui. Il avait quinze ans et était assez mignon, dans le genre rustique. Tori prétendait qu'il était raide dingue d'Opal. C'était Tori qui avait tout manigancé, en disant que ce serait marrant d'aller flirter dans les bois avec des copains plus âgés. Opal avait douze ans et n'avait jamais embrassé de garçon, mais pas question d'avouer ça, même à sa meilleure amie.

— Comme un zombie, tu veux dire ? demanda Tori.

Opal resta silencieuse – elle détestait les histoires de la Patate.

— Ouais, revenue d'entre les morts comme un zombie. Comme une patate : si on en enterre un

9

morceau, même un bout d'épluchure, du moment qu'il y a des yeux, il en pousse une autre.

Ryan cassa une branche comme s'il brisait un os et la jeta dans le feu.

Opal frissonna. Elle se rappelait la visite de l'après-midi. Mais non, elle ne devait pas penser à tout ça. Et elle n'avait pas intérêt à le raconter aux autres. Ils la traiteraient de menteuse ou de folle, peut-être même des deux.

— Et depuis elle erre dans les bois, ajouta Sam. Vous savez comment on reconnaît qu'elle arrive ? À l'odeur. L'odeur infecte de patate pourrie. On la sent à cent mètres.

— Oh, je t'en priiiie ! fit Tori en levant les yeux au ciel.

Sam était plus ou moins son petit ami.

— Attends… me dis pas que tu crois à la Patate ? Ryan n'en revenait pas.

— Je crois qu'elle a existé. Je le sais. Ma mère était à l'école avec elle. Une pauvre fille qui s'est fait assassiner, point barre. Mais ces conneries de fantôme… c'est, comment on appelle ça, déjà ? Une légende urbaine.

— Enfin, Tori, t'oublies que Dan et Chris l'ont vue ici pas plus tard que la semaine dernière ! s'exclama Opal. Et Janey, la petite sœur de Becky Sheridan ? Elle dit que la Patate est venue à sa rencontre dans l'ancien champ des Griswold et qu'elle l'a enfermée dans le cellier.

Et il y a moi, pensa Opal.

— Bon sang, grandissez un peu ! Dan et Chris étaient bourrés, comme d'hab'. Et Janey faisait l'andouille et elle s'est enfermée toute seule, répondit Tori en écartant les mains comme pour dire « voilà ».

— OK, rétorqua Opal. Le verrou était tiré de l'extérieur, grosse maligne. Comment elle a fait pour le fermer, d'après toi ?

— Ce que je dis, c'est que tout peut s'expliquer.

— Et moi, je dis que tout ne s'explique pas.

Opal se doutait que Tori lui en voulait encore pour le blouson. Un peu plus tôt dans l'après-midi, avant de retrouver les garçons, Tori s'était aperçue qu'Opal le lui avait pris, sans lui demander. Et comme si ça ne suffisait pas, Opal avait réparé sa chaîne de vélo en le gardant sur le dos, et Tori était furieuse à cause de la tache de graisse sur la manche gauche. Opal avait dû promettre de le faire nettoyer sur son argent de poche. En attendant, Tori porterait celui d'Opal. Sauf qu'il ne s'agissait pas vraiment du sien. C'était le plus vieux blouson de sa mère, et son préféré. Opal le lui avait déjà emprunté plusieurs fois sans sa permission, et maintenant elle n'avait même plus le droit d'y toucher. Un vrai blouson de western ou de rock star, en daim fauve, avec des franges sur les manches et le devant, et, Opal était bien obligée de le reconnaître, il allait mieux à Tori, qui était un peu plus âgée et avait des formes. Toutes deux blondes, les filles arboraient la même coupe de cheveux (l'œuvre de Shirley de chez *Tête en l'Hair* à la sortie de la ville), mais la ressemblance s'arrêtait là. C'était Tori la jolie, celle que les garçons regardaient. Opal le savait, mais la plupart du temps elle s'en moquait. Elle avait en tête des choses autrement plus importantes que les garçons.

11

Elle savait que ses « emprunts » contrariaient les gens et qu'un jour cette manie lui vaudrait de sérieux ennuis, mais elle ne pouvait pas s'arrêter. Une fois sur deux, elle ne s'en rendait même pas compte. Le jour où elle avait pris le blouson de Tori, elle ne s'en était aperçue que près de chez elle. Certaines personnes fument. D'autres se rongent les ongles. Opal empruntait. Ce n'était pas vraiment du vol. Elle n'empruntait qu'aux gens qu'elle connaissait, qu'elle aimait et dont elle se sentait proche. Et elle s'efforçait de rendre les objets en bon état avant que leurs propriétaires n'en remarquent la disparition. Cela lui procurait un frisson. La sensation d'être bien plus qu'une gamine de douze ans lorsqu'elle se baladait avec des choses appartenant à quelqu'un d'autre. C'était un peu des porte-bonheur – des talismans –, comme imprégnés de l'âme de leurs propriétaires.

Il faisait froid cette nuit-là. Ils étaient assis tous les quatre près du feu, et les garçons continuaient à échanger des histoires de la Patate. Tori fumait en silence les Camel Light piquées à son père, et de temps en temps faisait bouffer ses cheveux, émettait un petit grognement ou secouait la tête en entendant les anecdotes les plus farfelues. Il y en avait suffisamment à raconter sans qu'elle ait besoin de participer. Tous les adolescents de New Canaan savaient depuis leur enfance que la Patate errait dans les bois à la recherche de son meurtrier et se vengeait sur tous ceux qui croisaient son chemin.

— Je suis sûr que si elle est pas partie, c'est parce que son assassin est toujours là, dit Ryan. Elle sait qui c'est et elle ne reposera pas en paix tant qu'il sera en vie.

— Mais c'est pas seulement après lui qu'elle en a, répondit Sam, c'est après la ville entière. Elle a maudit toute cette putain de ville !

Tori se leva, resserrant les pans du blouson de daim.

— Malédiction ou pas, il faut que je fasse pipi. Je reviens.

— Prends la torche, dit Sam.

— La nuit est claire, ça ira, répondit Tori en s'écartant du cercle de lumière formé par le feu.

— Fais gaffe, ça sent la patate pourrie ! lui cria Sam.

— Pauvre mec !

Ils écoutèrent ses pas faire crisser les feuilles mortes et des brindilles, puis s'éloigner et disparaître. Ils l'entendirent jurer tout bas – elle s'était sans doute pris les pieds dans les broussailles. Le feu craqua. Ils racontèrent d'autres histoires.

Au bout de cinq minutes, Opal estima que Sam devrait aller chercher Tori. Les garçons n'étaient pas d'accord, les filles mettaient toujours un temps fou à pisser, et ils se demandèrent en rigolant pourquoi elles en avaient pour si longtemps.

Dix minutes plus tard, ils l'appelèrent, en vain. Les garçons dirent que Tori les faisait sûrement marcher. Qu'elle voulait leur foutre les jetons.

— Très bien, finit par déclarer Opal. Restez là, les machos. Moi, j'y vais.

Elle prit la torche des mains de Ryan et s'enfonça dans l'obscurité.

13

Ryan et Sam restèrent près du feu à ricaner sur l'hystérie des filles. Pourtant, c'était bien pour ça qu'ils se trouvaient là, non ? Ils étaient bien venus dans les bois hantés, comme tant d'autres garçons avant eux, avec l'espoir que les filles auraient un peu la trouille, qu'elles auraient besoin d'être rassurées ? Toutes ces conneries de fantômes, c'était bien un prétexte pour batifoler, non ? Les fourrés derrière l'ancienne ferme des Griswold étaient jonchés de bouteilles et de capotes, témoins des couples qui les avaient précédés, et non du spectre tourmenté d'une petite fille...

Le hurlement d'Opal les interrompit. Quittant la chaude lueur du feu, ils partirent au pas de course vers les bois sombres et touffus, en direction du cri. Là, ils virent la lumière de la torche sautiller dans les arbres et entendirent Opal qui sanglotait.

Ryan arriva une seconde avant Sam, s'arrêta net puis recula d'un pas.

— Qu'est-ce que..., souffla-t-il.

Sous un grand érable noueux gisait Tori, nue, une corde autour du cou, un carré de peau nettement prélevé sur son sein gauche. Ses vêtements avaient été soigneusement empilés à côté d'elle. Opal la regardait, debout, une main crispée sur la joue, laissant échapper une espèce de miaulement atroce. Le faisceau de la torche dansait sur la peau pâle de Tori.

— C'est une blague, s'écria Sam, avec un rire aigu de dément. Une blague pourrie. Allez, putain !

Il poussa du pied le corps de Tori, amenant son visage dans la lumière de la torche. Sa langue sortait de ses lèvres bleues. Ses yeux exorbités étaient écarquillés et vitreux comme ceux d'une poupée. Sam se mit à hurler lui aussi.

Ce fut Ryan qui reprit ses esprits le premier. Il s'empara de la lampe en disant qu'il fallait aller chercher de l'aide. Les garçons s'éloignèrent en courant, Opal sur leurs talons ; ils ne la virent pas rebrousser chemin.

Dans la clairière, refoulant ses sanglots, se forçant à ne pas regarder son amie morte, elle se dirigea droit sur la pile de vêtements. Le blouson en daim était dessous, bien plié. En le reprenant, elle vit au-dessus de la pile la culotte blanche en dentelle, pliée aussi, tel un gros papillon de nuit luisant dans la clarté lunaire.

Elle enfila le blouson – il était encore imprégné de la chaleur de Tori, et cette sensation lui donna la nausée. Elle jeta un dernier coup d'œil au cadavre. Son amie ressemblait à un pantin désarticulé, bras et jambes écartés, par terre dans la forêt. Ça ne pouvait pas être la même fille qui l'avait engueulée quelques heures auparavant pour avoir abîmé son blouson. Celle qui refusait de croire aux fantômes.

Opal eut l'impression d'être observée, non par le regard vide de son amie morte, mais par quelqu'un, ou plutôt quelque chose. Lentement, à son corps défendant, elle se retourna.

C'est alors qu'elle l'aperçut : une petite silhouette pâle vêtue d'une longue robe derrière un arbre, à moins de cinquante mètres. Opal la regarda s'éloigner à reculons, en zigzaguant entre les érables, puis s'enfoncer en flottant dans la profondeur obscure des bois avant de disparaître.

Opal courut aussi vite que possible pour rattraper les garçons, le cœur battant à se rompre, se mordant la langue pour ne pas crier. Elle pria : pourvu qu'ils ne remarquent pas sur elle le blouson qu'avait porté Tori toute la soirée. Ils ne se rendirent compte de rien. Et elle n'allait certainement pas leur raconter ce qu'elle avait vu.

Ce ne fut que des heures plus tard, chez elle, une fois toutes les questions posées et le corps de Tori emporté par le coroner, qu'Opal comprit sa grave erreur. Elle n'avait pas voulu avoir à expliquer pourquoi sa meilleure amie qui était morte portait le blouson de sa mère, celui auquel elle-même n'avait pas le droit de toucher. Mais franchement, tout le monde s'en foutait ! Qu'est-ce qui ne tournait pas rond chez elle, pour qu'elle aille se préoccuper d'un blouson à la noix ? Et du coup elle avait modifié une scène de crime, ce qui, elle en était à peu près sûre, faisait d'elle une criminelle. Le mieux était de le remettre dans la penderie et de ne jamais en parler à personne. Et elle était justement en train de le faire quand elle remarqua qu'il manquait quelque chose.

L'étoile. L'étoile de shérif en métal terni qu'elle avait épinglée dessus dans l'après-midi avait disparu.

— Merde ! s'exclama-t-elle en passant son doigt sur les deux petits trous que l'insigne avait percés dans le daim.

L'étoile avait dû tomber dans les bois. Il fallait absolument qu'elle y retourne et qu'elle la trouve. Elle devait la rendre avant qu'on s'aperçoive de sa disparition.

C'est terminé, se dit-elle pour la énième fois. Plus d'emprunts.

Et elle le crut.

17 novembre 2002
Vingt-deux heures vingt

Je m'appelle Kate Cypher et j'ai quarante et un ans.

J'ai tué quelqu'un ce soir.

Je me suis toujours crue incapable de commettre un meurtre. Le suicide m'a traversé l'esprit une ou deux fois, mais le meurtre, jamais. Moi, la blanche colombe ? Moi qui ai défilé pour la paix et qui donne régulièrement de l'argent à Amnesty International ? Je suis infirmière dans une école et je dessine des smileys sur les pansements, enfin !

Pourtant, c'est bien ma petite personne qui a appuyé sur la détente et qui, d'un tir d'une précision presque parfaite, a fait un trou dans le cœur d'un autre être humain.

Et afin d'expliquer les faits en toute honnêteté, je vais devoir raconter l'histoire depuis le début. Je vais devoir revenir, non pas seulement sur le meurtre de Tori Miller dans les bois il y a dix jours, mais sur un autre, commis il y a plus de trente ans. Mon histoire devra commencer quand j'étais en CM2 avec une

17

fille qui s'appelait Del Griswold. Ce n'est pas un nom dont beaucoup de gens se souviennent par ici. En revanche, il n'y a pas un habitant de cette ville qui n'ait entendu parler de la Patate. Elle est, et de loin, la résidente la plus célèbre de New Canaan – ce qui est drôle car, de son vivant, ce n'était qu'une gamine maigrichonne aux genoux écorchés, qui, ça se voyait tout de suite, ne ferait jamais grand-chose.

Comme nous avions tort, tous...

PREMIÈRE PARTIE

Maintenant et Alors

**Printemps 1971
7-16 novembre 2002**

*Hou la Pa-ta-te, la Patate pourrie
Elle habitait là
Mais maintenant elle est partie !*

1

Fin avril 1971

— Touche-le !

— Pas question. Trop dégueu !

— Allez, chiche !

— Pas question. Mince, ils sont où, ses yeux ?

— Il a dû se les faire bouffer. Ou alors ils étaient desséchés et ils sont tombés.

— Beurk !

Je frissonnai. En partie à cause du vent froid, en partie à la pensée de ces yeux. C'était le début du printemps. Nous pataugions dans la boue épaisse, encore à moitié gelée. La semaine précédente nous avions eu la dernière tempête de neige de la saison, et par endroits des plaques blanches encore accrochées au sol se transformaient en flaques et en rigoles dans le champ bosselé.

— Allez, Kate, tu dois faire ce que je te dis. Quand tu es chez moi, c'est moi qui commande. Tu as pénétré dans une propriété privée. J'aurais pu te faire arrêter. Ou dire à mon père de venir avec son fusil. Vas-y, touche-le !

— Toi d'abord.

Un sourire tordit son visage blême. Elle se mit à caresser l'oiseau mort, passant ses doigts aux ongles sales d'abord sur la tête, puis tout le long de son dos jusqu'aux plumes de la queue. Son geste semblait presque affectueux, comme si l'oiseau était sa perruche, une créature qu'elle aurait nommée et nourrie. Un oiseau dont elle aurait connu le chant par cœur. Un Titi, ou une Pépita.

Le corbeau putride se balançait lourdement sur son fil de fer. Elle lui donna un petit coup qui l'envoya vers moi. On aurait dit que nous jouions à une espèce de jokari macabre. Je reculai vivement. Elle rit en rejetant ses cheveux blonds et raides en arrière, la bouche grande ouverte. Je vis que son incisive droite avait un éclat. Il en manquait juste un petit coin, le genre de chose qu'on ne remarque pas si on n'y prête pas attention.

Le corbeau se balançait, la patte gauche emmail-lotée et attachée avec du fil de fer entouré de plas-tique blanc, plus solide que de la ficelle, selon Del. Il pendouillait à environ un mètre du sommet d'un grand piquet planté au milieu du champ, où des petits pois en rangs inégaux commençaient juste à lever. Des poteaux plus petits délimitaient les rangées, et du grillage rouillé cloué dessus formait un treillis pour les tiges.

Del raconta que son frère Nicky avait tué le corbeau deux semaines plus tôt. Il l'avait surpris en train de picorer les graines avant même qu'elles n'aient commencé à germer, et il l'avait descendu avec sa carabine à air comprimé. Puis, comme tous les ans, son père et lui avaient accroché le corbeau, en guise d'avertissement pour les autres.

Je tendis la main pour toucher les plumes noires et graisseuses de ses ailes déchiquetées. Des insectes y grouillaient, rampant sous les plumes et dans la chair. Des mouches d'un vert métallique bourdonnaient autour. Même mort, l'oiseau palpitait de vie. Il empestait comme un morceau de viande laissé au soleil et me fit penser au raton laveur que ma mère avait trouvé sous notre porche lorsque nous vivions dans le Massachusetts, enfoncé tellement loin qu'il était impossible de l'atteindre. On avait dû le laisser pourrir sur place. Ma mère avait répandu de la chaux vive dans les rainures du plancher, de la neige sur le cadavre boursouflé. Pendant des semaines l'odeur avait imprégné le porche, s'était insinuée par les fenêtres et les portes ouvertes, avait collé à nos vêtements, notre peau, nos cheveux. Aucune odeur ne ressemble à celle de la mort. Impossible de se méprendre.

L'après-midi où Del me surprit et m'emmena voir le corbeau, cela faisait presque un mois que je traversais tous les jours les champs des Griswold en rentrant de l'école. J'avais espéré cette rencontre. En fait, je voulais apercevoir Del, l'espionner sans être vue. Peut-être alors pourrais-je savoir si les rumeurs qui couraient sur son compte étaient fondées : que son père était aussi son frère, qu'elle dormait avec des poulets dans son lit, qu'elle mangeait des patates crues. Et la plus belle de toutes : qu'elle avait un poney boiteux et que – certains prétendaient l'avoir vue – elle le montait nue dans les champs derrière sa maison.

Je n'étais pas assez bête pour me lier d'amitié avec une fille comme Delores Griswold. Cela ne faisait qu'environ six mois que j'habitais New Canaan, mais j'avais eu le temps d'apprendre les règles. Règle numéro un pour survivre en CM2 : ne pas être copine avec la Patate. Pas si on voulait que les autres nous aiment. Del était une paria. La fille que tous les autres avaient prise en grippe. Elle était trop maigre et portait des vêtements usés et sales, qui lui venaient souvent de ses frères. Elle avait deux ans de plus que la plupart des autres élèves de CM2, ayant redoublé une fois en maternelle et une autre en CM1.

Son cou était si incrusté de crasse qu'on aurait presque pu croire qu'elle avait été arrachée d'un champ comme les patates qui poussaient dans la ferme familiale. Sa pâleur pouvait bien provenir d'un séjour sous la terre. Et si on s'approchait, elle dégageait une odeur d'humus.

Peut-être, je dis bien peut-être, si j'avais eu d'autres amis alors, si j'avais juré allégeance à quelqu'un d'autre, n'aurais-je pas coupé à travers ces champs gelés dans l'espoir de l'apercevoir nue sur un poney. Peut-être ne serais-je même jamais tombée sur elle. Elle ne m'aurait jamais montré son secret dans le cellier ou fait toucher le corbeau mort.

Mais je n'avais pas d'amis et, moi aussi, j'étais une marginale, une fille de New Hope dont le déjeuner consistait en légumes cuits à la vapeur, avec des tranches épaisses de pain aux céréales fait maison et des fruits secs pour le dessert. J'aurais tant voulu être une de celles qui mangeaient des spaghettis bolognaise et du pain blanc ! Ou même, comme Del et les élèves pauvres, échanger chaque jour à la cafétéria un jeton de cuivre usé contre un repas chaud.

Quelque chose qui m'aurait rattachée à un groupe, à un cercle d'enfants, au lieu de me faire sortir du lot ainsi, à manger mon repas hippie toute seule, en souriant bêtement à tous ceux qui passaient près de ma table.

La ferme des Griswold se trouvait au pied de Bullrush Hill. Au sommet de cette colline s'étendaient les deux cent quarante hectares appartenant à New Hope, la communauté que ma mère avait ralliée l'automne précédent, après avoir tout quitté. À Worcester, où elle était secrétaire et où j'avais de vrais amis, des amis que je connaissais depuis toujours et que je pensais ne jamais avoir à remplacer, elle avait eu le coup de foudre pour un homme qui se faisait appeler Élan Paresseux, de son vrai nom Mark Lubofski. Il l'avait persuadée de le suivre à New Canaan, dans le Vermont, où il habitait plus ou moins régulièrement depuis presque un an. Il lui avait expliqué qu'un certain Gabriel montait là-bas quelque chose d'énorme, de révolutionnaire : une communauté utopiste.

Pour dire la vérité, j'étais aussi entichée de cet Élan Paresseux et de ses belles paroles que ma mère. Son visage doux aux traits taillés à la serpe était creusé de rides profondes autour des yeux et de la bouche. Afin de cacher une calvitie naissante, il portait un chapeau de cuir à large bord orné d'une plume rayée marron et blanche, qu'il n'enlevait que la nuit. Et même alors, le chapeau trônait souvent au pied du lit, comme le chat de la maison. Il me raconta que cette plume, qu'il avait trouvée dans les bois derrière New Hope, était un talisman, un objet

25

au pouvoir magique qui l'aidait à garder sa liberté d'esprit.

Nous étions donc parties, l'esprit libre, à bord de son combi VW orange, certaines de rejoindre le paradis. Mais nous ne vîmes que quelques bâtiments délabrés, un puits qui fonctionnait à l'aide d'une pompe manuelle rouillée, un troupeau de chèvres à l'esprit destructeur et le grand tipi de toile qui allait nous servir de foyer durant les années à venir. Élan Paresseux avait soigneusement omis de mentionner ces détails dans ses descriptions de New Hope, et même si nous ne pouvions cacher notre déception, nous restions toujours convaincues de pouvoir y construire une vie nouvelle et meilleure, comme on nous en avait fait la promesse. Et c'est avec espoir et détermination que ma mère emplit le tipi de tapis tissés colorés et de draps propres. Elle nettoya les verres des lampes à pétrole et fit prendre à Élan Paresseux l'habitude de retirer ses bottes boueuses avant d'entrer. Notre petite maison ronde, bien que très éloignée du paradis, était au moins pimpante et propre.

Au pied de Bullrush Hill, à l'intersection de notre chemin de terre avec Railroad Street, laquelle, déjà à l'époque, était pavée, se trouvait la ferme des Griswold. C'était une ancienne exploitation laitière, mais les vaches avaient été vendues quelques années auparavant. Enfin, ça sentait encore la bouse par temps de pluie. Comme celle de la mort, cette odeur ne disparaît pas facilement.

Le bâtiment blanc de guingois avait besoin d'un sérieux coup de peinture. Le toit avait perdu quelques bardeaux. Des hirondelles nichaient dans les avant-toits. La grange à la peinture rouge décolorée et au toit de tôle s'était écroulée depuis longtemps, et ses ruines semblaient abriter une centaine de chats sauvages et plusieurs chiens aux handicaps divers (l'un avait trois pattes, un autre était borgne, et un troisième affligé de grosses protubérances). Devant la maison, où de la terre compacte remplaçait la pelouse, à côté de la grosse boîte aux lettres noire à leur nom, était suspendu un écriteau blanc, où on lisait en lettres rouges peintes à la main : ŒUFS FOIN PORCS PATTATES.

Derrière l'écriteau, à environ trois mètres de la route, il y avait un petit abri en bois au toit rouillé. Là, quel que soit le jour de la semaine, on pouvait trouver trois ou quatre douzaines d'œufs dans des boîtes en carton ainsi que des paniers de pommes de terre, de haricots, de maïs et beaucoup d'autres légumes de saison. Des bouts de papier punaisés sur le mur du fond indiquaient les prix, et il y avait une boîte en fer bosselée pour l'argent.

PRENEZ VOTRE MONNAIE, SOYEZ HONNÊTES, MERCI ! disait la feuille collée sur le couvercle de la boîte grise. Une balance cabossée pendait du plafond, mais lorsque ma mère voulut l'utiliser, l'aiguille resta coincée, le ressort cassé.

Un autre écriteau demandait de se renseigner à l'intérieur si on voulait du foin, du porc, des porcelets et des chatons gratuits.

Avant qu'il n'y ait un poulailler à New Hope, ma mère et moi allions acheter des œufs au stand des Griswold. Nous rencontrions rarement le propriétaire, mais parfois nous l'apercevions au loin, sur son tracteur. Nous savions que sa femme était morte

27

d'un cancer des années plus tôt, le laissant seul pour s'occuper de sa marmaille. Nous voyions souvent un de ses enfants en train de travailler dans la cour, ou de taper sous le capot d'une voiture rouillée posée sur des parpaings. Il y en avait, des gosses – huit, en comptant Del. La seule fille.

— Alors comme ça, t'habites avec les hippies ?

C'était le jour de notre face-à-face dans le champ où les petits pois élevaient leurs pousses pâles et légères, le corbeau mort entre nous.

— Oui.

— T'en es une ?

— Non.

— Ils sont débiles, les hippies.

Je ne réagis pas, me contentant de donner un coup de pied dans les mottes de boue glacée.

— Ils sont débiles, les hippies, je te dis !

Ses yeux d'un gris-bleu pâle luisaient de colère.

— Ouais.

Je me reculai légèrement, de peur de prendre un coup.

— Ouais quoi ?

— Ouais, les hippies sont débiles.

Del sourit, découvrant sa dent ébréchée.

— J'ai un truc à te montrer. Un truc secret. Tu veux voir ?

— Je veux bien, répondis-je, un peu inquiète car elle m'avait posé la même question quelques minutes plus tôt, juste avant de m'emmener voir le corbeau en décomposition.

Je la suivis dans les rangées de petits pois, puis dans un potager planté d'épinards, de carottes et de betteraves. Je reconnaissais les légumes d'après ceux de New Hope. Notre terre était plus sombre, plus lisse que celle des Griswold. Et, bien que plus petits, nos jardins semblaient plus sains, mieux entretenus, avec des allées recouvertes de copeaux de bois pour circuler entre les plantations. Les champs des Griswold étaient jonchés de pierres, de socs de charrue rouillés, de rouleaux de barbelé abandonnés, et nous piétinions les rangées tortueuses de semis. Suspendu tête en bas à son fil de fer, le corbeau surveillait ce paysage, semblant défier toute chose vivante de pousser.

Nous passâmes devant un petit pâturage entouré d'une barrière, où une grande jument grise mâchonnait du foin, un poney pommelé à ses côtés. Il tressaillit en nous voyant et alla se réfugier au galop derrière la stalle. Je vis qu'il boitait légèrement.

— C'est ton poney ?

— Oui, il s'appelle Spitfire. Il mord.

Juste après le pâturage se trouvait la porcherie, où cinq énormes cochons se prélassaient dans une épaisse boue grisâtre, en compagnie d'une dizaine de porcelets. Au fond, dans le coin à droite, il y avait une hutte de contreplaqué, semblable à une grande niche. Devant, le long de la barrière, une grande mangeoire métallique pleine d'eau, et une autre remplie de déchets visqueux.

Je m'arrêtai et m'appuyai contre le haut de la barrière, les pieds sur le barreau du bas, pour mieux voir les petits cochons. La puanteur ammoniaquée de leurs excréments me fit froncer le nez. J'étais en train de regarder dans ses yeux minuscules une grosse truie aux tétines gonflées, en pensant que j'avais entendu quelque part que les cochons étaient intelligents, bien plus que les chiens, lorsque Del me poussa par-derrière. C'était une bourrade violente, pas la petite tape dans le dos qu'on se donne en jouant. Je me retrouvai le ventre écrasé contre le barreau du haut, le haut du corps en avant. Un peu plus et je basculais tête la première dans la boue.

— Gaffe que les cochons te bouffent pas, se moqua Del. Si t'étais tombée là-dedans, ils t'auraient dévorée.

Je sautai de la barrière et fis volte-face, bien décidée à lui en coller une, mais elle détourna vite mon attention.

— Tu vois cette grosse mère, là ? demanda Del en désignant la truie que j'étais en train de regarder. Elle a bouffé trois de ses bébés la semaine dernière. Des vrais sauvages, ces cochons !

Je desserrai les poings et repris ma respiration.

Del m'emmena alors vers l'arrière de leur maison blanche, en haut d'une petite colline, tout en me décrivant la scène de la truie dévorant ses petits.

— Des dents comme des lames de rasoir ! Quand elle a eu fini, il ne restait plus que trois petites queues.

Un mètre cinquante plus loin, nous arrivâmes à une porte de bois encastrée dans le flanc de la colline. Elle me rappela la porte métallique qui menait à la cave de la maison que nous louions avant, dans le Massachusetts. Del se baissa pour déverrouiller et ouvrir la lourde porte. De grossières marches de bois conduisaient à une cave sombre qui aurait pu être un cachot ou un abri anti-aérien.

— Vas-y en premier. Faut que je ferme derrière nous.

En descendant, je vis qu'il s'agissait d'un cellier : une petite pièce d'environ deux mètres sur deux, avec des murs en parpaings entièrement tapissés d'étagères en bois affaissées, couvertes de rangées et de rangées de conserves et de paniers remplis de pommes de terre spongieuses et germées, de pommes talées et de carottes ramollies. Del referma la porte et tout devint noir. Je me demandai si elle était restée dehors et m'avait enfermée à l'intérieur, me condamnant à mourir dans cet endroit humide. C'était peut-être bien un cachot, après tout, une espèce de salle de torture. Je respirais par à-coups. Ça sentait la terre mouillée, les légumes oubliés. Ça sentait Del.

— Del ?

— Attends, je cherche une allumette.

Elle me frôla, puis je l'entendis tâtonner, secouer une boîte d'allumettes, l'ouvrir et en craquer une. Une lueur orange envahit la petite pièce. Sur une étagère, Del prit un pot à confiture contenant une grosse bougie et l'alluma. Elle souffla sur l'allumette et approcha la bougie de mon visage, comme si elle m'étudiait, incertaine de ce qu'elle allait voir apparaître.

— Bon, si je te montre mon secret, tu dois me promettre de le dire à personne. Tu dois jurer.

Ses yeux pâles semblaient plonger dans les miens et me transpercer le crâne.

— D'ac.

— Tu le jures sur ta vie ?

— Oui, dis-je dans un murmure.

31

Elle éloigna la bougie de mon visage et s'assit sur une étagère, près d'une rangée de bocaux de tomates poussiéreux.

— Croix de bois, croix de fer ?

— Si je mens je vais en enfer, répondis-je.

— J'ai un tatouage.

Et elle se mit à déboutonner son chemisier sale en coton jaune, brodé de petits lassos, de chapeaux et de chevaux de toutes les couleurs.

Je voulus lui dire d'arrêter, que je la croyais et que je n'avais pas besoin de voir, mais trop tard, elle avait enlevé son chemisier. À mon grand soulagement, elle portait dessous un maillot de corps en coton taché, garni d'une minuscule fleur à pétales roses cousue au milieu de l'encolure. Elle s'en débarrassa en vitesse, sans hésitation, et je baissai les yeux, gênée, en pensant que les histoires que j'avais entendues étaient peut-être vraies, et que je me trouvais là, dans le cellier, avec la Patate. À quoi je pensais ? Si jamais ça se savait à l'école... Je frissonnai. J'essayai de trouver une excuse pour me sauver. L'odeur s'intensifia.

— Alors, tu regardes ou quoi ?

Je levai les yeux du sol de terre battue et remontai lentement jusqu'à son torse nu.

Elle était vraiment maigre – je pouvais presque compter ses côtes. On aurait dit qu'elle avait été passée à l'eau de Javel, même ses tétons semblaient pâles. Et sur son torse efflanqué, juste là où devait se trouver son cœur, la lettre *M*. Je me rapprochai pour mieux voir, en m'efforçant d'oublier que c'était la peau d'une autre fille que j'observais, pas juste la peau, mais l'endroit où un jour pousserait un sein.

J'en voyais déjà les prémices, un léger renflement qui semblait incongru sur cette maigreur. Pourtant, ce n'était pas la poitrine naissante de Del qui attirait mon regard, ni sa différence avec la mienne, toute plate, mais son tatouage.

C'était un *M* majuscule en cursive, délicat et tout en volutes. Il avait été gravé sur sa peau à l'encre noire, sans doute assez récemment puisqu'il était encore rouge et boursouflé. Il semblait légèrement infecté et terriblement douloureux. Je reculai.

Le seul tatouage que j'avais vu jusqu'ici était une ancre de marine un peu passée, sur l'avant-bras d'un des petits amis de ma mère, un ancien de la marine. Et puis Popeye. Mais les dessins animés, ça ne comptait pas, et ça ne voulait rien dire dans la situation où je me trouvais à ce moment précis.

J'essayai de prendre l'air indifférent. Mais franchement, un tatouage ! Sur une fille de CM2 ! Del m'était encore plus étrangère que jamais.

— Le *M*, ça veut dire quoi ?

— Ça, je peux pas te le dire.

Le pouvoir de son secret la fit sourire.

— Qui est-ce qui te l'a fait ?

— Quelqu'un de spécial.

— T'as pas eu mal ?

— Pas trop.

— Ça a l'air de faire mal, là.

— C'est un mal qui fait du bien.

Je ne lui demandai pas ce que c'était qu'un mal qui fait du bien. Avant même que je ne lui pose une autre question, la porte s'ouvrit violemment et le cellier s'emplit de lumière. En levant les yeux, je vis la silhouette dégingandée d'un garçon en haut des marches.

— Del, qu'est-ce que tu fous ? Et c'est qui, avec toi ? Ma parole, vous êtes en train de vous peloter là-dedans, ou quoi ?

Sa voix était éraillée, comme s'il avait la gorge irritée et que ça lui faisait mal de parler trop fort.

— Fous le camp, Nicky ! hurla Del en lui tournant le dos.

Je me rendis compte que j'avais le tueur de corbeau en face de moi. Comme il se tenait dans la lumière, je plissai les yeux pour distinguer ses traits. Je vis des cheveux blond clair en bataille et des bras étrangement longs qui semblaient pendre gauchement. Des bras d'orang-outang. Au fur et à mesure que mes yeux s'habituaient à la clarté, je remarquai que ce garçon était aussi bronzé que Del était pâle. Un garçon-singe à la peau brune, portant un jean déchiré et un tee-shirt blanc, et de lourdes bottes sur des pieds immenses.

— Ouais, c'est ça, je fous le camp, fit la voix râpeuse. Je fous le camp à la maison et je raconte à papa ce que je viens de voir.

— Espèce de salaud ! lui cracha Del à la figure.

— C'est qui, ta copine ? demanda-t-il avec un petit sourire en coin.

— C'est pas tes oignons.

— Nom de Dieu, j'aimerais pas être à ta place. La raclée que tu vas te prendre !

Sur ce il partit vers la maison, laissant la porte du cellier ouverte.

— Tu ferais mieux d'y aller, m'intima Del. Mais reviens demain. Rendez-vous dans le champ après l'école. Près du corbeau. D'ac ?

— D'ac.

Elle grimpa à toute vitesse les marches qui menaient dehors.

— À plus dans le bus ! me lança-t-elle une fois arrivée en haut, avant de se lancer à la poursuite de son frère, en direction de la maison.

Je soufflai la bougie, remontai lentement les marches de bois, et regardai à droite et à gauche lorsque j'arrivai à la porte. Comme il n'y avait personne en vue, je fonçai droit devant moi, sans oser me retourner vers leur maison, vers Del et Nicky. Je passai à toute allure devant les cochons aux dents en lames de rasoir, devant le pâturage et le poney boiteux, devant les épinards, les carottes et les betteraves, pour me retrouver dans le champ de jeunes pois où le corbeau mort pendouillait toujours sur son fil de fer comme une marionnette cassée.

Le champ était en lisière des bois et je retrouvai le chemin qui me conduirait tout en haut de Bullrush Hill et me ramènerait à New Hope. La maison n'était qu'à un quart d'heure de marche mais, après ce que j'avais vécu avec Del, elle me semblait à des années-lumière. En à peine une heure, Del m'avait introduite dans un univers lointain avec ses dangers et ses règles propres. J'avais hâte d'y revenir.

2

— Je sais qui vous êtes.

Ce furent les premières paroles que ma mère m'adressa quand j'arrivai, son bonjour, tandis que je la prenais dans mes bras sur le pas de sa porte. Son corps était mou, sans réaction. Elle se tenait les bras ballants, et ses deux mains étaient emmaillotées dans d'épais bandages. Des mains de momie. J'avais parcouru quatre mille cinq cents kilomètres pour la voir et elle n'allait même pas me rendre mon baiser. Je m'écartai d'elle avec des mouvements maladroits, mécaniques. La Momie et le Robot. Il ne manquait plus que Lon Chaney ou Bela Lugosi dans notre film.

— Je suis contente de te voir, maman, dis-je avec un sourire forcé.

— Je sais qui vous êtes, répéta-t-elle.

Elle se tenait plantée devant moi, mal fagotée dans une vieille robe de chambre en flanelle. Ses cheveux longs, raides, et blancs comme de l'écorce de bouleau, étaient gras et emmêlés. Elle portait des tennis dont les lacets défaits traînaient par terre.

Quelque chose qui ressemblait à du jaune d'œuf collait à son menton. Non sans mal, je réussis à ne pas lui répondre : *D'accord, tu me connais, mais toi, tu es qui, bon sang ?*

Je venais de passer une heure sombre à discuter avec Raven et Gabriel, deux des trois derniers membres de New Hope, sans compter ma mère. La troisième était la fille de Raven, Opal, âgée de douze ans. Elle avait fait irruption dans la pièce au milieu de notre réunion, une chaîne de vélo à la main, et avait renversé une chaise vide sur son passage, tandis que la chaîne pleine de graisse se balançait dans sa main sale. Elle portait une casquette de base-ball à l'envers et un blouson d'université blanc et bleu brodé d'un autre nom que le sien.

— Quelqu'un sait où est passée la grosse clé à molette ?

Depuis deux ans que je ne l'avais pas vue, Opal avait juste assez changé pour que je marque un temps d'arrêt. Elle avait grandi et minci, et, en dépit de son entrée digne d'un éléphant dans un magasin de porcelaine, semblait plus gracieuse que la petite fille dont je me souvenais si bien.

Elle se tourna, me vit, et son visage se fendit d'un grand sourire. Elle lâcha la chaîne et me gratifia d'une accolade au cambouis.

— Il me semblait bien que tu arrivais ce soir, me dit-elle. J'ai cent mille choses à faire, là tout de suite, je dois réparer mon vélo et aller retrouver des copains, mais j'irai te voir plus tard. Demain, OK ? Demain. J'ai plein de nouveaux trucs à te montrer. Je maîtrise complètement le saut du haut de la grange. J'ai même ajouté un saut périlleux ! Et je viens d'avoir un bouquin génial sur la voltige aérienne, avec des photos super. Il faut que tu voies ça !

Depuis l'âge de sept ans, cette fillette maigrichonne et couverte de taches de rousseur avait décrété qu'elle serait cascadeuse. Elle s'était fait une mauvaise fracture du bras lors de ma précédente visite, en se jetant du grenier à foin dans la grange principale.

Comme Raven était partie faire une course à Rutland, je l'avais emmenée aux urgences. Elle avait l'air drôlement secouée, pas seulement à cause de sa chute, mais aussi de ce qui s'était passé dans la grange juste avant. Elle affirmait qu'il y avait quelqu'un dans le grenier avec elle, mais lorsque Gabriel était monté vérifier, il n'avait vu que deux fourches rouillées contre le mur et quelques tas de foin pourri depuis longtemps.

« Qui as-tu vu là-haut ? » lui avais-je demandé sans obtenir de réponse.

Pour la distraire pendant l'attente interminable entre les examens, les radios, et le plâtre, je l'interrogeai sur ses cascades préférées. Elle m'expliqua qu'elle avait lu des livres sur la voltige et les cascades aériennes.

« C'est comme ça que Charles Lindbergh a commencé, dit-elle avant d'enchaîner sur les femmes, la voix pétillante d'admiration et d'enthousiasme. Il y en avait une, Gladys Ingle, qui tirait à l'arc sur l'aile supérieure de son Curtiss Jenny.

— Son quoi ?

— Curtiss Jenny. C'est un biplan. Je l'ai en modèle réduit dans le tipi. Bref, cette Gladys Ingle, elle était célèbre aussi pour ses sauts d'un avion à l'autre, en plein vol. Trop cool, non ?

— Si, plutôt.

— Et Bessie Coleman ! J'ai fait un exposé sur elle. C'était la première aviatrice afro-américaine. Elle faisait aussi des cascades aériennes. Oh, et puis Lillian Boyer, l'"impératrice de l'air", elle a quitté son boulot de serveuse pour apprendre à marcher sur les ailes des avions. »

Lorsque Opal en fut à m'expliquer que l'ère du *wing walking* avait pris fin en 1936, le gouvernement ayant rendu illégales les sorties hors du cockpit au-dessous de mille cinq cents pieds, le mystérieux visiteur du grenier était oublié. Et au terme de nos trois heures aux urgences, j'étais devenue la meilleure copine de cette fillette de dix ans ; elle ne me lâcha pas d'une semelle pendant tout le reste de mon séjour et me montra les photos de ses livres sur les cascades aériennes, et ses maquettes. Le Curtiss Jenny était suspendu à du fil de pêche tout en haut d'un poteau au sommet du tipi. Opal avait collé une petite bonne femme en plastique sur l'aile supérieure, et l'avait agrémentée d'un minuscule arc fait avec un bâton et de la ficelle, sans oublier les flèches en cure-dents. Une cible était dessinée à l'autre extrémité de l'aile.

Opal, du moins pour quelqu'un de l'extérieur comme moi, semblait adorer la vie dans le tipi, et cette impression fut confirmée quand elle ouvrit les rideaux de sa chambre cet après-midi-là, et que, le poussant du bout des doigts, elle fit voler l'avion en cercles au-dessus de nos têtes. Je regardai autour de moi avec une impression de déjà-vu, et je dus me répéter que ce n'était pas le tipi d'origine, celui dans lequel ma mère et moi avions vécu, mais son troisième ou quatrième avatar. Et voilà qu'à présent, à son tour, celui-là aussi allait devoir être remplacé, et par la faute de ma mère.

Après qu'Opal nous eut quittés pour réparer son vélo, Gabriel, Raven et moi reprîmes notre conversation au sujet de ma mère. Nous étions assis autour de la longue table de bois, dans la grange principale qui servait autrefois de cuisine commune et de salle de réunion. La grange semblait immense et vide, et nos voix se perdaient dans ce grand espace.

New Hope avait périclité au fil des années. La vision utopiste de Gabriel s'était pour ainsi dire égarée en chemin, tombant en décrépitude en même temps que les bâtiments et les jardins. La communauté où j'avais passé mon enfance n'était guère plus qu'une ville fantôme, l'enveloppe délabrée de ce qu'elle avait été, et même si je me sentais déçue, je n'en étais pas étonnée. On me taxera peut-être de scepticisme, mais j'ai toujours pensé qu'il fallait plus que des légumes bio et des cercles de parole pour bâtir une société idéale.

Raven avait dix ans de moins que moi et était la seule autre enfant de New Hope à mon époque. Elle était née au cours de ma troisième nuit là-bas. J'avais dormi peu cette nuit-là, écoutant les hurlements de sa mère provenant de la grange principale, transformée en « centre d'accouchement », équipé d'un cercle sacré de bougies et d'un jeune hippie de dix-neuf ans appelé Zack qui jouait alternativement sur sa guitare « Joyeux anniversaire » et le thème du feuilleton *The Lone Ranger*. Je restai éveillée à me demander dans quel enfer ma mère m'avait entraînée, où les bébés ne naissaient même pas à l'hôpital.

Quand Raven était petite, je changeais ses couches, et plus tard, je lui appris à nouer ses lacets. Voilà tout ce que je lui avais légué : quelques piqûres d'épingles à nourrice, et l'histoire du lacet qu'on transforme en oreilles de lapin avant de le faire passer dans un trou, dont elle ne se souvenait certainement pas.

Raven était devenue une femme superbe – près d'un mètre quatre-vingts, longs cheveux noirs, pommettes hautes. Elle travaillait à temps partiel à la mairie et suivait des cours du soir pour obtenir un diplôme de psychologie. Lorsque je partis à l'université pour ne jamais revenir, Raven devint vite pour ma mère une fille de substitution, ce qui me causait un petit pincement au cœur, de jalousie et de culpabilité, chaque fois qu'elle mentionnait son nom pendant toutes ces années. Bien que n'ayant pas de liens de sang avec elle, Raven représentait la fille idéale. Celle qui était là, qui promettait de ne jamais quitter la maison et qui fut capable de lui donner la petite-fille qu'elle n'aurait jamais de moi. Et moi, j'étais l'ado menue sur les photos que ma mère avait conservées, dont les taches de son s'estompaient un peu plus à chaque cliché, comme pour signifier qu'un jour tout mon être disparaîtrait à jamais. La femme invisible qui appelait une fois par semaine, pour dire que la fac, c'était dur, puis l'école d'infirmières, la vie conjugale, les boulots plus prenants les uns que les autres – toujours une excuse pour ne pas revenir. Mais cela ne comptait guère puisque Raven était là, fidèle au poste, dans ses chaussures soigneusement lacées.

La vraie mère de Raven, Doe, était morte d'un cancer du pancréas, une de ces histoires horribles dans lesquelles vous allez à l'hôpital pour des douleurs à l'estomac, et vous en ressortez les pieds devant trois semaines plus tard. Quant à son père, personne n'a jamais vraiment su ce qu'il était devenu. Sa disparition, ou du moins les raisons de sa disparition, j'en étais la cause, même si j'étais la seule à le savoir. Encore un élément à ajouter à la longue liste des secrets de New Canaan que j'avais trimbalés toute ma vie, bagage lourd et détestable.

Raven tomba enceinte d'Opal à dix-huit ans, juste quelques mois après la mort prématurée de sa mère. J'étais à Seattle alors, et je vécus toute sa grossesse à travers mes conversations téléphoniques hebdomadaires avec ma mère : les nausées matinales dont elle était venue à bout avec des amandes et du thé au gingembre, le trajet d'une heure en voiture pour suivre des cours de yoga prénatal à Burlington, la recherche d'une sage-femme qui accepterait de l'accoucher dans un tipi sans eau courante. La question de l'identité du père d'Opal ne fut jamais soulevée directement, mais j'ai toujours présumé que c'était un hippie de passage à New Hope. Si qui que ce soit, elle y comprise, eut le moindre problème concernant le fait qu'Opal soit « sans père », je n'en ai jamais rien su.

À quatre-vingt-deux ans, Gabriel était toujours en excellente forme, physiquement et mentalement. Avec ses lunettes rondes, sa barbe blanche et ses bretelles rouges, il faisait penser à un père Noël mince et hors de saison. Il avait été le patriarche de New Hope, son père fondateur. Sa compagne, Mimi, était morte l'année précédente, le laissant seul à bricoler dans la grange principale, se rappelant sans doute des temps plus glorieux. Une époque où il y avait de nombreuses bouches à nourrir, des révolutions paisibles à organiser.

À ses débuts, en 1965, New Hope ne comptait que quatre membres : Gabriel et Mimi, et un autre couple, Bryan et Lizzy. Au fil des années, leur nombre avait augmenté. Lorsque ma mère et moi nous y installâmes à l'automne 1970, nous étions onze résidents à plein temps (ce nombre ne fut jamais dépassé), sans compter les étudiants en vacances, ou les paumés de passage. Il y avait Gabriel et Mimi, Bryan et Lizzy, Shawn et Doe, la petite Raven, Élan Paresseux et ma mère, moi, et Zack, seul adulte célibataire de New Hope et barde autoproclamé de notre communauté. Quel que soit le nombre de résidents considérant New Hope comme leur chez-soi à un moment ou à un autre, il était évident qu'ils tablaient sur Gabriel pour les guider vers l'utopie.

En sirotant une des tisanes de Gabriel – celle-ci sentait la réglisse et la boue –, je les écoutais patiemment m'expliquer de leur mieux l'état de ma mère. Ils me prévinrent qu'elle ne me reconnaîtrait peut-être pas. Elle avait eu une mauvaise semaine. L'apothéose en avait été l'incendie, cinq jours plus tôt, ce qui les avait poussés à m'appeler pour me demander de revenir et de trouver une solution à long terme. Ils racontèrent comment elle s'était débattue quand Gabriel l'avait sortie de force, et qu'elle l'avait mordu au bras, si violemment qu'il avait dû se faire recoudre. (Je notai que sa blessure était recouverte d'un pansement stérile et propre, et non d'une compresse d'herbes malodorantes comme du temps de Mimi.)

J'avais beau faire, je ne parvenais pas à faire coïncider l'image de ma mère, pacifique et posée, avec celle de la démente qu'ils me décrivaient. J'essayai de me la représenter l'écume aux lèvres, capable de mettre le feu en claquant des doigts.

— Depuis l'incendie, poursuivit Gabriel, elle est dans une spirale descendante, et elle insulte tous ceux qui passent à sa portée.

Allons bon !

Quand ils eurent fini de me dépeindre le déclin de ma mère, je leur exposai mon plan. J'avais demandé trois semaines de congé exceptionnel à l'école élémentaire Lakeview de Seattle, où j'exerçais comme infirmière. M'adressant à eux comme si je parlais devant le conseil d'administration, j'expliquai que, dans les jours à venir, j'allais, avec leur aide, évaluer l'état de ma mère et trouver un moyen de garde à long terme, ce qui impliquerait certainement de la placer dans un établissement spécialisé (et peut-être aussi de lui coller une muselière, suggestion que je m'abstins de mentionner). Certes, j'avais plus l'air d'une assistante sociale que d'une fille parlant de sa mère, mais d'une certaine façon, c'est ainsi que je me voyais. Il s'agissait de ma responsabilité, j'avais l'intention de l'assumer, et de toute façon je ne m'étais pas vraiment comportée en fille modèle depuis que j'avais quitté la maison à dix-sept ans.

Gabriel et Raven hochèrent la tête, satisfaits de mon projet et de mon sang-froid. Ils étaient contents, quoique légèrement surpris, peut-être, de voir que je prenais si bien les choses. Mais n'était-ce pas mon boulot ? Et la raison pour laquelle ils m'avaient convoquée, afin d'entreprendre ce qui était nécessaire et qu'ils hésitaient à faire eux-mêmes ? Ce serait moi qui au final prendrais la décision d'enfermer ma mère, de lui enlever toutes ses libertés, mais pour son bien, comme je le lui expliquerais. Ni l'un ni l'autre ne voulait avoir ça sur la conscience. Ils m'avaient piégée dans le rôle de la méchante, de la vilaine fille, et je l'endossai parfaitement, comme s'il était fait sur mesure.

— Doe, je t'ai déjà dit que je ne veux pas la voir chez moi !

Un mètre cinquante-cinq, quarante-neuf kilos, ma mère était campée sur le seuil de sa maison, se balançant d'avant en arrière tel un serpent hypnotiseur, s'efforçant de se grandir. Je reculai d'un pas pour mettre de la distance entre nous, m'attendant presque à un sifflement.

Raven porta une main à son front.

— Je suis Raven, Jean, dit-elle avec un soupir. Et elle, c'est ta fille, Kate.

— Je sais qui elle est, cracha ma mère en déplaçant son regard de Raven à moi. Je sais qui vous êtes !

Elle s'était penchée en avant et je reçus une pluie de postillons sur le visage. Ses mains pendaient le long de ses flancs comme de grosses pattes blanches, étranges et inutiles. Raven et Gabriel avaient raison. Je n'étais absolument pas préparée à cela. Un feu que je ne connaissais pas brillait dans ses yeux. Je reculai encore.

— En tout cas, elle reste un peu. Avec toi, dans ta maison.

— C'est pas ma maison !

Raven essaya une autre tactique :

— Jean, où est Magpie ?

Elle sortit une boîte de thon de sa besace. Les traits de ma mère se détendirent et elle esquissa un sourire.

— À l'intérieur. Elle doit être à l'intérieur. Sous le placard. Dans le lit. Magpie ! Hé, Miss Magpie ! Le petit déjeuner !

Ma mère rentra en appelant le chat. Raven me fit un signe de tête et nous la suivîmes.

J'avais vu sa maisonnette pour la première fois lors de ma dernière – et brève – visite deux ans auparavant. Elle s'attaquait aux finitions, posait les moulures et les baguettes, après avoir tout construit elle-même. Il restait encore à New Hope quelques résidents, qui l'avaient aidée à monter les murs et le toit. Opal et ses copains avaient creusé la fosse pour les toilettes extérieures. À part cela, tout était l'œuvre de ma mère. Le bungalow de quatre pièces avait été bâti de ses mains de soixante-dix ans, presque entièrement à partir de matériaux donnés ou récupérés. J'avais trouvé alors, tandis qu'elle me faisait faire le tour du propriétaire, qu'il tenait plus d'une œuvre d'art que d'une maison. Elle m'avait fièrement montré les étagères encastrées, le plancher provenant d'un vieux silo qu'elle avait cloué avec l'aide de Raven, les plaques de granit récupérées sur un tas de détritus à Barre et recyclées en plan de travail pour sa cuisine.

Après des années passées dans le tipi, puis dans le grenier de la grange communautaire, ma mère s'était fabriqué une maison vraiment à elle. La maison de ses vieux jours, nichée à une centaine de mètres de la grange principale, bordée à l'arrière par la pente boisée qui partait de New Hope pour arriver droit sur l'ancienne propriété des Griswold.

En me remémorant ma précédente visite à New Hope, je compris que ma mère présentait déjà des signes de sa maladie. De petits indices, semés tout au long de mon séjour, mais rien d'alarmant, rien sur quoi mettre clairement des mots aussi forts que *démence sénile, maladie d'Alzheimer*. Elle m'avait semblé un peu distraite, éparpillée. Elle se répétait, oubliait des choses que je lui avais dites. Elle paraissait préoccupée, un peu agacée. Je me disais que c'était le contrecoup de la construction de la maison. Elle avait soixante-dix ans, après tout.

Lors de cette visite, j'avais appris qu'elle avait bousillé sa voiture et décidé d'en acheter une autre. Quand je lui demandai ce qui était arrivé, elle me dit qu'elle était allée se balader et qu'elle s'était endormie au volant. La Pontiac avait quitté la route et s'était retrouvée dans un fossé. Heureusement, elle s'en était tirée avec quelques contusions. Ça s'était passé près de Lancaster, dans le New Hampshire.

— Mais qu'est-ce que tu fabriquais à Lancaster au milieu de la nuit ?

Elle esquiva la question d'un haussement d'épaules. Raven me raconta ensuite qu'elle s'était déjà perdue à plusieurs reprises, de plus en plus loin de chez elle. En général elle tombait en panne sèche et appelait Gabriel ou Raven à la rescousse. Les numéros de téléphone de New Hope étaient punaisés sur le pare-soleil. Pourtant, avant, ma mère les connaissait par cœur. Cela aurait dû m'alerter, mais non. Elle était suffisamment robuste et valide pour construire une maison, mais sa mémoire s'en allait, et elle devait la sentir s'échapper, souvenir par souvenir, en commençant peut-être par des choses aussi simples que ces numéros de téléphone.

Je suivis Raven dans le salon et constatai qu'à l'intérieur la maison était restée comme dans mon souvenir : même canapé prune bien rembourré, même rocking-chair en bois, même lirette. À gauche de la porte d'entrée se trouvait un banc pour s'asseoir quand on enlevait ses chaussures, et une rangée de patères courait le long du mur. Y étaient suspendus un ciré jaune, une parka et un gilet orange fluo pour circuler dans les bois quand la chasse était ouverte. Bienvenue dans le Vermont !

Je continuai mon chemin et tournai à gauche dans la cuisine. Là trônaient le fourneau à bois en émail blanc et la table ronde qui accompagnaient ma mère depuis l'époque du tipi. Au fond, la porte de sa chambre était fermée, mais à côté celle de son atelier de peinture restait entrouverte. J'aperçus des toiles colorées, ainsi que le lit de camp et l'armoire poussés contre le mur. La maison sentait le feu de

48

bois, la peinture à l'huile, et la lotion à la lavande. Odeurs familières que je ne pouvais m'empêcher de trouver réconfortantes.

Ce qui avait changé, c'était les notes disposées un peu partout – papiers blancs recouverts de signes aux marqueurs de couleurs vives. Sur la porte d'entrée, à l'intérieur : TA FILLE KATE ARRIVE CET APRÈS-MIDI. Dessous, on avait scotché une photo de moi, prise lors de ma dernière visite. Je regarde droit devant, les yeux lourds et maussades, un vrai cliché d'identité judiciaire. J'aurais pu y inscrire la mention suivante : *Recherchée pour crime d'abandon, récompense offerte.*

Plusieurs notes au marqueur rouge étaient apposées à la cuisinière : STOP ! N'ALLUME PAS ! Il y en avait sur tous les placards, indiquant leur contenu : PLATS, VERRES, CÉRÉALES. Une liste de noms et de numéros était affichée près du téléphone mural. Il y en avait aussi une qui disait : N'APPELLE PAS LE 911 SAUF EN CAS D'URGENCE ! (J'appris plus tard par Raven que ma mère s'était mise à appeler le 911 plusieurs fois par jour, pour leur demander chez qui elle était, ou s'il restait des yaourts.)

Magpie n'était qu'un chaton lors de ma dernière visite, un cadeau de Raven et Opal. C'était à présent une petite chatte noire et blanche au poil lustré que je vis sortir en trottinant de l'atelier, et se frotter contre les jambes de ma mère en dessinant des huit. Ma mère la prit dans ses bras, lui fit des mamours et l'emmena vers le réfrigérateur à gaz.

— Qu'est-ce qu'il y a pour le déjeuner ?

— Tu as déjeuné, Jean, lui dit Raven.

— Qu'est-ce que j'ai mangé ?

— Du gratin.

— Qu'est-ce qu'il y a pour le dîner ?

— Tu viens de dîner. Gabriel t'a apporté du ragoût.

— J'ai faim, pleurnicha ma mère comme une enfant.

Elle déposa Magpie sans précaution sur le plancher.

— Qu'est-ce qu'il y a pour le déjeuner ?

Raven l'ignora. Elle ouvrit la boîte de thon et en versa le contenu dans l'écuelle du chat posée sur le plan de travail. Magpie dansait autour des pieds de Raven à présent, avec des miaulements plaintifs. D'un mouvement vif, ma mère se pencha et se fourra la tête dans l'écuelle. Elle goba une bonne bouchée de thon avant que Raven l'en écarte.

— Je vais te faire un sandwich, Jean. Va t'asseoir.

Il y avait une nervosité dans la voix de Raven à laquelle je ne m'attendais pas – teintée d'hostilité. Elle s'agrippa au bord du plan de travail et expira longuement.

Ma mère se tourna vers moi.

— Ils me donnent pas à manger, dit-elle.

Je me contentai de la fixer. Elle avait des miettes de thon collées sur le visage.

— Je vous connais, ajouta-t-elle en souriant.

J'en avais mal au ventre. Je réprimai l'envie de prendre mes jambes à mon cou, comme dans les dessins animés, pour sauter dans ma voiture de location puis dans le premier avion pour Seattle. Cela faisait des années que je n'étais plus proche de ma mère, mais je la savais intelligente, ingénieuse et digne. Cette personne m'était totalement étrangère. On aurait dit que ma mère avait complètement disparu sans même que je remarque qu'elle prenait congé. Voilà qu'elle me rendait la monnaie de ma pièce. Touchée !

Plus tard, après lui avoir fait un sandwich et l'avoir mise au lit, nous nous installâmes, Raven et moi, sur le canapé du salon. J'aurais bien bu quelque chose de fort, mais je savais qu'il n'y aurait rien de tel dans la maison. Ma mère avait toujours désapprouvé l'alcool. « Franchement, Sauterelle, je ne comprendrai jamais pourquoi tu éprouves le besoin de t'abrutir, de t'abîmer le cerveau que Dieu t'a donné avec cette saleté. »

Raven sortit une boîte d'allumettes de son sac à main et alluma les lampes du salon. Tout comme à l'époque du tipi, la lumière provenait de bougies et de lampes à pétrole, la chaleur, de la cuisinière à bois, et l'eau, que l'on puisait avec des brocs et des seaux, d'un puits situé près de la grange principale, dans laquelle était aussi installée une baignoire. Une existence autarcique, choisie alors qu'elle était encore capable de vivre de façon autonome. Un mode de vie dont je ne me souvenais que trop bien après toutes ces années. Je suis sûre que c'était pour cela que j'adorais les gadgets – à Seattle, ma maison en regorgeait : mixeur, micro-ondes, moulin à café, machine à espresso, ouvre-boîte électrique, mijoteuse-sauteuse, brosse à dents électrique et des rampes de spots halogènes soigneusement orientés de façon à illuminer le moindre recoin.

Raven fouilla à nouveau dans son grand sac de cuir, tel un magicien à la recherche d'un accessoire, et me tendit un grand anneau de métal sur lequel étaient accrochées des clés. Elle me montra le cadenas de laiton servant à enfermer ma mère dans sa chambre la nuit.

— Eh ben ! On dirait l'ennemi public numéro un !

Raven m'expliqua que, si nous ne le faisions pas, ma mère sortirait et se perdrait. La nuit c'était pire. Elle avait les idées plus claires pendant la journée. Raven me promit que je verrais la différence le lendemain matin.

Il y avait une autre clé pour le coffret posé sur le dessus du réfrigérateur, qui contenait toute la batterie de médicaments prescrits par le Dr Crawford au cours des derniers mois : Lorazépam, halopéridol, Ambien, et un tube de pommade contre les brûlures. Raven me dit qu'ils n'aimaient pas lui donner tous ces médicaments, qu'après elle avait l'air dans les vapes. Je me retins pour ne pas lever les yeux au ciel – à quoi croyait-elle que ça servait, à lui donner la paix intérieure ? Jusqu'à maintenant, ils ne les lui faisaient prendre que pendant les mauvaises passes, mais depuis l'incendie ils avaient dû augmenter les doses. La plupart du temps, ils avaient réussi à la maintenir rien qu'avec les préparations de Gabriel. Il y en avait une au ginkgo pour la mémoire, qu'ils mettaient dans son thé deux fois par jour. Et la nuit, une potion soporifique à base de racine de valériane. J'en eus la nausée et je me promis de ne pas soumettre ma mère à cette torture botanique.

— Dorénavant, nous suivrons les prescriptions du Dr Crawford. Je préfère qu'elle s'abrutisse plutôt qu'elle se blesse de nouveau, poursuivit Raven.

Je hochai la tête, tout en me disant qu'il nous faudrait consulter un gérontologue dès que possible. Ce n'est pas que je n'avais pas confiance dans le médecin du coin, mais je me demandais si ce traitement lourd était bien géré.

Il y avait aussi une clé pour le cadenas du tiroir de la cuisine qui contenait les couteaux, les ciseaux, une lime à ongles, un coupe-ongles et les allumettes.

— Ne lui donne jamais, jamais d'allumettes, me recommanda Raven, comme si les pansements entourant les mains de ma mère ne constituaient pas une mise en garde suffisante.

— D'accord, dis-je en imaginant une Jean enragée et écumante allumant un feu rien qu'en claquant des doigts.

J'effaçai cette image cauchemardesque de mon esprit.

Raven continua à m'expliquer les gestes du quotidien : lever ma mère, la laver et l'habiller ; vider son pot de chambre ; changer ses pansements ; servir le petit déjeuner ; l'emmener en promenade ; lui préparer son déjeuner ; l'installer pour sa sieste ; et veiller à ce qu'elle prenne tous ses médicaments. Je dus avoir l'air un peu dépassée.

— Je sais que ça fait beaucoup. Et je sais que ça a dû être un choc terrible pour toi de la voir comme ça. Mais tu ne peux pas savoir à quel point je suis contente que tu sois là. Et Gabriel aussi. On n'en pouvait plus. Ce n'était plus possible. Surtout avec l'hiver qui approche. Elle ne peut pas rester toute seule. Pas ici.

Elle regarda autour d'elle, désignant d'un geste désespéré la cuisinière à bois, les lampes à pétrole suspendues au plafond, hors de portée.

— Tu verras ce que tu en penses après quelques jours. Mon Dieu, ce que je suis contente que tu sois là !

Elle me prit dans ses bras – cette femme que j'avais l'impression de connaître à peine, qui n'était qu'en CE1 quand j'étais partie d'ici – et me serra fort. J'étais sa bouée de sauvetage. Celle qui revenait pour résoudre les problèmes, même si cela signifiait coller ma mère dans une maison de retraite. J'expirai à fond tandis qu'elle me serrait. *Super,* pensai-je, *une bouée privée d'air !*

Raven partie, je pris d'abord soin d'enlever le cadenas de la porte de ma mère. Je n'avais pas l'intention d'être sa geôlière, du moins pas tout de suite. Je fis tinter le trousseau de clés, comme le shérif adjoint dans un vieux western : « Tu es libre d'aller où tu veux, cow-boy. Mais quitte la ville avant le coucher du soleil. »

Je jetai un coup d'œil dans la chambre, ma mère était profondément endormie sur son lit de cuivre. Le tic-tac du réveil posé sur la table de nuit résonnait dans la pièce. Les aiguilles brillaient. Seulement huit heures. Il était juste cinq heures à Seattle. Jamie allait bientôt rentrer du travail. Tina ou Ann, ou peu importe le nom de sa dernière conquête, était peut-être chez lui en ce moment, à l'attendre, le dîner au four, du vin blanc au frais. Je me demandai comment il s'y retrouvait à changer de copine tous les mois, parfois toutes les semaines. Il lui fallait certainement cocher son

54

calepin, se faire des pense-bêtes. Avec un sourire amer, je me rappelai son habitude des fiches. Il en conservait des paquets au bureau, dans la boîte à gants, sur sa table de nuit. Il en bourrait ses poches de chemise et de veste, et y gribouillait des petites notes personnelles. Notes qu'il fourrait aussitôt dans une autre poche ou entre les pages d'un magazine, perdant à jamais sa liste de courses ou le titre du livre dont il avait entendu parler à la radio. Peut-être utilisait-il maintenant les fiches pour ses copines. *Sasha : rousse, cicatrice d'appendicite ; aime le martini, déteste les chiens.* Je ris toute seule en imaginant la fiche tomber de la poche du blazer qu'une autre fille apporterait au pressing.

Ma valise noire à roulettes dans une main, Magpie sur mes talons, j'emportai la lampe dans l'atelier de ma mère, où un lit de camp recouvert d'une pile de couvertures était installé dans un coin. La tête penchée, la chatte me regarda sortir mes chaussettes, sous-vêtements et tee-shirts et les ranger dans la vieille armoire de bois, héritée sans doute d'un résident de New Hope parti depuis belle lurette. J'aperçus mon couteau suisse dans ma trousse de toilette, voisinant avec mon shampooing à l'huile d'arbre à thé et mon gommage à l'avocat – je l'y avais glissé à la dernière minute en m'apercevant que je ne pourrais pas le garder dans mon bagage à main. En général il ne me sert qu'à déboucher le vin et à couper du fromage lors de pique-niques improvisés, mais je suis une femme qui aime parer à toute éventualité. Je pensai un instant le mettre sous clé dans le tiroir à couteaux de la cuisine, mais finalement je le fourrai dans mon sac à main.

Soudain, je me sentis épuisée. Pas d'avoir rangé mes affaires, mais par l'après-midi dans son ensemble. Par le fait d'être à la maison. Plus que tout, je culpabilisais devant les changements survenus chez ma mère, sa lente dégradation, tandis que je m'accrochais à ma petite vie tranquille à Seattle, avec ses gadgets et ses spots halogènes, inconsciente, pensant que ce n'était pas si grave, que Raven exagérait.

Je posai la lampe sur la table de nuit et je m'allongeai pour me reposer quelques minutes. Magpie me rejoignit, ronronnant avec un bruit de tondeuse à gazon. Tandis que les pensées se précipitaient dans mon esprit et que mon corps me disait que c'était à peine l'heure du dîner, encore moins du coucher, je voyais se profiler devant moi une nuit sans sommeil, suivie par une journée aux yeux bouffis. J'avais besoin de boire, de préférence quelque chose de chaud, avec du rhum et des épices. Puis je me souvins de la boîte de médicaments dans la cuisine et je m'y rendis en faisant tinter les clés. Je ne suis pas du genre à me gober des pilules à tout bout de champ, mais un petit Ambien n'a jamais fait de mal à personne. Pour mettre toutes les chances de mon côté, j'en pris deux.

En attendant que le somnifère fasse effet, j'examinai les ombres des tableaux de ma mère qui chatoyaient à la lumière de la lampe. Il s'agissait surtout de natures mortes, et celle qui reposait sur le chevalet, à moitié terminée, représentait une coupe de fruits dans de sombres nuances de gris. C'était une ébauche, une scène privée de sa couleur, l'esquisse de ce qu'elle promettait de devenir.

3

Fin avril 1971

Quand nous étions en CM2, Ron Mackenzie était notre chauffeur de bus. Il ressemblait à un boule-dogue, avec son cou épais et ses petits yeux vigilants. Il portait toujours un bonnet de laine noir et actionnait ses mâchoires en conduisant comme s'il mâchait sa langue. On aurait pu croire qu'il avait toujours conduit des bus scolaires, mais en fait il avait travaillé pour la Nasa. C'est ce qu'il racontait aux nouveaux élèves, leur laissant croire qu'il avait été astronaute ou quelque chose comme ça, et ce n'était que poussé dans ses retranchements qu'il avouait qu'il conduisait des camions et des éléva-teurs, pas des modules d'alunissage. Il avait trans-porté des pièces de fusée, avait été amené à toucher du métal qui partirait dans l'espace. Revenu dans le Vermont parce que sa belle-mère était tombée malade, il s'était retrouvé chauffeur de bus scolaire et mécanicien au garage municipal.

Les bons jours, il nous appelait ses mésanges. Quand il était de mauvaise humeur, quand un des enfants l'avait déçu, nous étions des macaques, et on sentait à son ton que, pour lui, les macaques étaient vraiment des créatures peu fréquentables.

« J'en ai assez de vous aujourd'hui, bande de macaques ! » nous lançait-il entre ses dents lorsque nous faisions trop de bruit ou que nous changions de place pendant le trajet.

Tous les matins, Del et moi attendions le bus scolaire au pied de la colline, près de sa boîte aux lettres. Trois de ses frères prenaient le bus précédent pour se rendre à Brook School, où allaient les élèves de la sixième à la terminale. Nicky, le tueur de corbeaux, avait quatorze ans. Les jumeaux, Stevie et Joe, en avaient dix-sept et Mort, dix-neuf. Ce dernier n'avait jamais passé son bac et vivait toujours à la ferme, où il aidait son père. Les autres frères, Roger, Myron et Earl, avaient quitté la maison et habitaient New Canaan ou les environs. L'aîné, Earl, était marié et avait deux enfants, pas beaucoup plus jeunes que Del.

Stevie et Joe restaient entre eux et ne s'intéressaient pas à Del. Lorsqu'ils n'accomplissaient pas leurs corvées à la ferme, ils bricolaient leur voiture, avec laquelle ils comptaient courir sur la piste de Thunder Road. Ils avaient des copines – des filles boutonneuses et obèses qui adoraient se balader dans cette GTO rouge, se recoiffant et soufflant la fumée de leur cigarette par le nez, tandis que des clés graisseuses et des pièces détachées s'entrechoquaient à leurs pieds. Ils traversaient la ville à toute vitesse, faisant ronfler le moteur et crisser les pneus à chaque carrefour. Parfois je les voyais tous les quatre, dans la voiture ou dans la cour chez Del, les mochetés vautrées sur la pelouse brune, la cigarette au bec, tandis que Stevie et Joe tapaient comme des sourds sous le capot.

Del prenait le bus de Ron le matin, mais elle rentrait chez elle après le déjeuner avec celui des maternelles, tout comme les trois autres élèves de la section spécialisée. On estimait, je suppose, qu'une demi-journée d'école était amplement suffisante pour ces enfants.

Les trois autres étaient des garçons. Tony LaPearl souffrait de trisomie. Artie Paris avait douze ans, et deux de retard, comme Del. C'était un malabar dont la moustache poussait déjà. Mike Shane, le garçon le plus grand et le plus maigre de l'école, avait le même âge. Il ne parlait pas. Personne ne savait exactement pourquoi, mais des tas de bruits couraient, le plus plausible étant qu'une maladie infantile avait gravement endommagé ses cordes vocales. Il se baladait avec un carnet attaché à une ficelle autour de son cou et communiquait par écrit.

Le lendemain de cette première rencontre dans le champ, je retrouvai Del à l'arrêt de bus. Elle portait le même chemisier taché et un pantalon pattes d'ef en velours côtelé, propre mais trop lâche, retenu au-dessus de ses hanches étroites par un gros ceinturon de cuir marron. Ce pantalon avait sans doute appartenu à l'un de ses frères. Elle avait épinglé une étoile de shérif en métal argenté sur son chemisier.

Aucune de nous ne parla. J'attendis en l'observant, pour lui laisser le soin de fixer les règles. Nous remuions les pieds dans la poussière, puis regardions les dessins que nous avions tracés. Je pensais au corbeau, à la lettre *M* sur la poitrine de Del, recouverte à présent non seulement par le chemisier, mais aussi par l'étoile argentée. Juste avant l'arrivée du bus, je vis en levant les yeux que Del me souriait et je sus que je n'avais pas rêvé notre rencontre. Je sus aussi, en apercevant sa dent ébréchée, que je reviendrais près du corbeau après l'école, par curiosité.

Lorsque le bus s'arrêta, je montai la première, comme d'habitude, et m'assis sur un siège libre à l'avant. Je pensai fugitivement qu'elle allait peut-être se mettre près de moi et je priai le ciel pour qu'elle ne le fasse pas, tout en me sentant coupable. Dieu merci, elle alla s'installer toute seule au fond du bus.

— Ça sent la patate pourrie, murmura un garçon sur son passage.

— Hou la Pa-ta-te, la Pa-tate pourrie, tu pues tellement que tout le monde vomit ! chantonna son voisin.

Ron Mackenzie, malgré sa sévérité, n'empêchait jamais les élèves de se moquer de Del. Il ne faisait que s'agripper au volant et mâchouiller encore plus fort, l'air vaguement gêné.

— Hé, Del, ça s'écrit comment, « patates » ? demanda le premier garçon, en regardant la faute d'orthographe sur l'écriteau.

— Les gogols, ça sait pas écrire, ça sait que puer, répondit l'autre.

Del se contenta de regarder par la fenêtre, un grand sourire aux lèvres, comme si l'insulte les concernait.

Ce jour-là, ainsi que les autres jours, je ne vis Del que deux fois à l'école, à la récréation du matin et à la cantine. Pendant la récréation, j'étais sur la cage à poules lorsque je l'aperçus qui se dirigeait vers l'érable au fond de la cour. Elle était seule, comme d'habitude. Elle se parlait à elle-même, et ça devait être drôle, parce qu'elle se mit à rire. Je la regardai avec curiosité couper une brindille sur une des branches basses et faire semblant de fumer. Artie, le malabar de la section spécialisée, s'approcha avec deux de ses copains de CM2.

— Qu'est-ce que tu fumes là, Del ? demanda Artie. De l'herbe ?

Del continua de fumer, feignant de ne pas entendre. Elle renversa la tête en arrière et fixa les feuilles nouvelles sur les branches. Je grimpai en haut de la cage à poules pour mieux voir la scène. Deux autres filles jouaient au-dessous de moi, Samantha Lancaster et Ellie Bushey. Elles chuchotèrent entre elles et gloussèrent lorsque je leur souris. Elles étaient meilleures copines, tressaient leurs cheveux de la même façon et portaient un coupe-vent rose identique. Populaires, entourées d'une aura de normalité et d'assurance, c'était elles qu'on choisissait en premier pour former des équipes, elles à qui on envoyait des tonnes de cartes à la Saint-Valentin. Je reportai mon regard sur Del, en m'efforçant d'ignorer Ellie et Samantha.

Près des arbres, Artie s'adressait toujours à Del, en se balançant légèrement, comme s'il avait besoin de prendre de la vitesse pour dire ce qu'il avait à dire.

— T'as perdu ta langue ? T'es devenue muette comme Mike ? Mike le Muet et la Patate ! Tu parles d'un couple ! Je l'ai vu qui te passait des mots en classe. Des petits mots d'amour, j'parie. Vous devriez p'têt' vous marier tous les deux. Pour avoir des petits muets tout crados. Et leur donner des patates crues à bouffer. C'est comme ça que t'as cassé ta dent, Del ?

Sans répondre, Del continua à tirer sur sa brindille et à souffler des ronds de fumée invisibles, les yeux toujours levés vers les plus hautes branches. Dans cette position, son insigne de shérif accrochait le soleil et brillait comme une vraie étoile. Je me souvins de ce qu'Élan Paresseux m'avait raconté sur les talismans et je pensai que cette étoile argentée était peut-être celui de Del.

— Il est où, le muet, d'abord ? demanda Artie.

La main en visière, il balaya la cour du regard, tel un général le champ de bataille. Il aperçut Mike.

— Va le chercher, Tommy, ordonna Artie.

Et Tommy Ducette, le balourd du CM2, partit d'un pas pesant pour traîner ce pauvre Mike jusqu'à l'érable. Lorsqu'ils revinrent, un cercle d'enfants curieux s'était formé, auquel s'étaient jointes les deux filles de la cage à poules. Je descendis et m'approchai pour mieux voir. Samantha murmura quelque chose à Ellie, qui se retourna vers moi et rougit un peu.

— Ah, le voilà ! fit Artie avec un sourire. Voilà ton fiancé, Del.

Et Mike Shane resta planté là, maigre comme un coucou, mais dépassant les autres garçons d'une tête. Ses poignets et ses chevilles saillaient sous ses vêtements. Son carnet à spirale était accroché à un fil rouge. Tête baissée, Mike examinait les bouts de caoutchouc usé de ses Keds.

Je l'avais déjà observé. Comme Del, comme moi, il ne se mêlait généralement pas aux autres. Je l'avais vu jouer aux échecs pendant la récréation avec Tony LaPearl, le trisomique, et apparemment Mike le laissait toujours gagner. Moi aussi j'avais remarqué qu'il passait des mots à Del de temps en temps, et que parfois Del se penchait pour lui chuchoter à l'oreille quelque chose qui le faisait sourire et détourner le regard, tout gêné.

— Allez, on va vous marier, annonça Artie. Mettez-vous l'un à côté de l'autre.

Tommy donna au grand Mike une bourrade qui le fit valdinguer, frissonnant, contre Del, laquelle continua à faire semblant de fumer comme une star de cinéma glamour.

— Del la Patate, acceptes-tu de prendre Mike le Muet pour époux, pour le meilleur et pour le pire, jusqu'à ce que la mort vous sépare ?

Del lui souffla la fumée dans la figure.

— Ça compte pour oui. Bien sûr que t'acceptes. Et toi, Mike le Muet, acceptes-tu de prendre cette Patate à la clope pour épouse puante ? Un signe de tête, ça suffira, Shane. Pas besoin de l'écrire dans ton foutu carnet.

Mike Shane hocha la tête, les yeux toujours au sol, tremblant tel un lièvre acculé.

— Je vous déclare mari et femme. Et maintenant embrasse la mariée !

Mike leva la tête, et une vraie terreur se lut dans ses yeux marron écarquillés. Del se contenta de sourire. Mike essaya de s'enfuir, mais Artie et Tommy l'en empêchèrent et le ramenèrent vers Del. Il hurlait comme un animal. De la salive coulait sur son menton. Les deux garçons le poussèrent à nouveau contre Del, qui ne bougea pas d'un pouce. Elle lâcha la brindille et l'écrasa avec le pied, puis s'avança pour embrasser Mike Shane sur la bouche. Ce fut un long baiser de série télé, et lorsqu'elle se dégagea le visage de Mike n'était plus pâle mais d'un rouge écarlate. Les enfants rassemblés en cercle se mirent à crier, à rire, à dire que c'était dégueu.

— Beurk ! Des microbes de la Patate ! s'exclama Ellie.

— Pire que des totos, renchérit Samantha.

— Pauvre Mike le Muet, dit un garçon.

— Ils vont bien ensemble, rétorqua un autre.

Le groupe se dispersa quand Mlle Johnstone vint demander ce qui se passait.

— On joue aux cow-boys, c'est moi le shérif, lui dit Del avec un sourire, en montrant son étoile scintillante.

— Pourquoi tu les as laissés faire ça ? lui demandai-je plus tard, quand je la retrouvai près du corbeau mort.

— Faire quoi ?

— Comment ils se sont moqués de toi et de Mike. Pourquoi tu l'as embrassé ?

— Et qu'est-ce qu'il fallait que je fasse ?

— Aller chercher Mlle Johnstone, crier, je sais pas, moi.

— Ouais, c'est ça.

— T'aurais pu essayer.

— C'était pas si terrible.

— Qu'est-ce que ça t'a fait ?

— Quoi ?

64

— D'embrasser Mike Shane.

— Pareil que d'embrasser n'importe quel garçon.

— T'as déjà embrassé beaucoup de garçons ?

Elle haussa les épaules nonchalamment et remonta les manches de son chemisier. Son avant-bras gauche était couvert d'ecchymoses violettes qui, j'en étais sûre, ne s'y trouvaient pas la veille.

— Pas mal.

Sur ce, Del partit au pas de course vers la pâture du poney, les doigts formant le canon d'un revolver, tirant sur tout ce qui se trouvait sur son chemin.

— Je suis Wyatt Earp ! hurla-t-elle. Je vais me faire un voyou. Allez, Adjointe ! Tu m'attraperas pas !

Je la poursuivis à travers le jardin jusqu'à la barrière des chevaux, nos doigts en guise de revolver, et elle qui criait « Tu m'attraperas pas ! » tout le long du chemin. Je la poursuivis jusqu'à la porcherie, restant à distance respectueuse de la barrière, sans ralentir pour regarder les dents des cochons. Nous courûmes jusqu'au cellier, lequel, annonça Del, était une banque en plein hold-up. Nos armes braquées, nous ouvrîmes la porte à la volée, dans l'espoir de prendre les bandits la main dans le sac.

— Il faut les abattre ! s'écria le shérif Del.

— Abattre qui ? demanda une voix râpeuse derrière nous.

En nous retournant nous vîmes Nicky, le frère de Del. Il avait une vraie carabine dans les mains, à air comprimé, sans doute celle avec laquelle il avait tué le malheureux corbeau pendouillant dans le champ.

Soudain, Del n'était plus Wyatt Earp.

— Emmène-nous tirer, Nicky, pleurnicha-t-elle, triturant le bas du tee-shirt de son frère jusqu'à en faire une boule.

— Pas question, Del.

Il parlait à sa sœur, mais il m'examinait avec son sourire en coin de renard. Il était tout en longueur et bronzé. Ses bras aussi étaient longs et semblaient incroyablement bruns par contraste avec son tee-shirt blanc. Il portait un jean taché et les mêmes grosses bottes usées que la veille. Son visage semblait sculpté dans un bois sombre et exotique.

— Emmène-nous, ou je raconte à papa tu sais quoi, menaça Del, toujours accrochée à son tee-shirt.

— M'en fous. Je dirai à papa que tu amènes une copine ici.

— Emmène-nous, ou je lui dis, Nicky, je te jure.

— Pas question.

Nicky se dégagea et se mit à courir vers le champ du fond.

— Le voleur se sauve ! hurla Del. Arrêtez-le ! Je crois que c'est Billy le Kid !

Nous nous lançâmes à sa poursuite à travers le jardin, le champ de petits pois et jusque dans les bois, sur le chemin que je prenais pour aller chez moi. Nicky semblait nous mener droit vers New Hope, mais il bifurqua à gauche sur un sentier broussailleux que je n'avais jamais remarqué. Le sentier continuait, toujours couvert d'un enchevêtrement de végétation digne d'une jungle, jusqu'à une clairière. Au milieu de cette surface herbeuse s'élevait une toute petite cabane bancale, comme sortie d'un conte de fées. Une maison de sorcière ou un lieu de réunion pour trolls.

Penché en avant, les mains sur les genoux, Nicky reprenait son souffle, la carabine gisant à ses pieds.

— Rends-toi, Billy, s'exclama Del en déboulant dans la clairière, les doigts pointés sur son frère.

Ses cheveux lui collaient au front et elle sifflait un peu en parlant.

Nicky leva ses grandes mains et sourit. Son tee-shirt était trempé de sueur et collait à son torse étroit.

— C'est quoi, ici ? demandai-je dès que je pus parler.

— Un campement pour la chasse au daim, répondit Nicky. Mon père l'a laissé se déglinguer. C'est notre grand-père qui l'a construit.

La petite bicoque faisait environ quatre mètres sur cinq, et ressemblait plus à une maison pour jouer qu'à un endroit où des hommes avaient dormi. Elle penchait dangereusement sur la gauche, menaçant de s'écrouler à tout instant. Elle était recouverte de rondins taillés grossièrement, sur lesquels des morceaux d'écorce étaient encore accrochés çà et là. Le toit de bardeaux plein de mousse verte et noire avait l'air tout spongieux.

— Tu veux entrer ? demanda Nicky en me regardant.

— C'est pas dangereux ?

Del se précipita à l'intérieur avec un petit grognement méprisant.

— Bien sûr que non, répondit Nicky.

Il ramassa sa carabine et enjamba le seuil, auquel manquait la porte. Je le suivis.

67

La cabane sentait le bois pourri, le moisi et les souris – l'odeur de toutes les choses oubliées. Elle était meublée d'un poêle en fonte ventru, d'un canapé bleu défoncé, d'une table basse et de quatre lits de camp, poussés le long des quatre murs. Au fond de la pièce, près du poêle, une échelle menait à un grenier. Sa carabine sous le bras, Nicky y monta. Arrivé en haut, il se pencha sur la rampe et nous adressa un sourire.

— Vous venez ?

Je grimpai à l'échelle tandis que Del s'affairait à grand bruit autour du poêle.

Un matelas occupait presque tout le plancher. Il y avait aussi des restes de bougies, une lampe à pétrole toute noircie, une boîte d'allumettes, des cigarettes et une pile de magazines porno. Au-dessus de la pile, un petit couteau avec un manche en plastique imitation os dans un étui de cuir. Nicky s'assit sur le matelas miteux et alluma une cigarette.

— Arrête de fourgonner dans ce poêle, bon sang ! Il fait au moins trente degrés là-dedans !

Del se hissa en haut de l'échelle, l'air revêche.

— File-moi une clope !

Nicky s'exécuta. Il m'en proposa une, mais je secouai la tête. Del alluma sa cigarette et se mit à fumer le plus naturellement du monde, comme si elle avait fait cela toute sa vie. Elle fit même des ronds, comme le matin lorsqu'elle jouait. Elle me les souffla dans la figure, tout sourire.

— Alors, tu me dis comment tu t'appelles, ou il faut que je devine ? me demanda Nicky.

— C'est mon adjointe. Elle n'obéit qu'à moi, répondit Del.

— Elle a un nom, ton adjointe ? s'enquit Nicky en tirant sur sa cigarette.

Le regard de Del passa de son frère à moi, puis revint à son frère.

— Elle s'appelle Rose. Rose du Désert.

— Ben voyons. C'est le nom de la couleur débile que tu voulais pour ta chambre.

Le visage de Del vira au rouge. Elle hurla.

— Si je dis qu'elle s'appelle comme ça, c'est qu'elle s'appelle comme ça !

Les traits de Nicky se chiffonnèrent, comme s'ils allaient se défaire, puis se fendirent en un grand sourire.

— Bon, d'accord. Enchanté, Rose du Désert.

Il me tendit la main. Ses longs doigts sombres enveloppèrent délicatement les miens. J'avais la main collante de sueur. La sienne était sèche comme de la poudre.

Une fois les cigarettes écrasées dans une boîte de thon vide, nous sortîmes et Nicky nous expliqua comment manier la carabine. Nous tirâmes sur des cannettes de bière posées sur des souches. Pour me montrer comment tenir l'arme et viser, Nicky se tint derrière moi, les bras autour de mes épaules. Je n'avais jamais tiré auparavant, mais je touchai chaque cannette en plein milieu. Nicky me dit que j'avais un don. Il sentait la sciure de bois, le foin et la cigarette. Son corps était tiède contre le mien. Del attendait son tour avec impatience et s'exerçait à viser avec des cailloux, faisant tomber les cannettes avant que nous ne puissions tirer.

Après, nous revînmes à la cabane et je fumai ma première cigarette. Je toussai et j'eus du mal à respirer, pensant ma dernière heure arrivée, sous les rires de Nicky et Del qui se moquèrent de moi jusqu'à ce que j'arrive à ne pas aspirer la fumée trop fort, à la retenir juste un instant dans la bouche avant de la laisser s'échapper. Del essaya de m'apprendre à faire des ronds – je m'efforçai de l'imiter tandis qu'elle formait des cercles parfaits avec la bouche, tel un poisson hors de l'eau, mais je ne parvins à exhaler que des paquets moches et informes. Nicky s'exerça à lancer le petit couteau à manche de plastique sur une cible de fléchettes clouée au mur. Il n'atteignit pas le centre une seule fois.

Au bout d'un moment, Nicky annonça qu'il avait du boulot et nous laissa.

— Qu'est-ce que t'as au bras ? demandai-je à Del en regardant ses bleus.

— Rien, répondit-elle en descendant la manche de son chemisier jaune et en ramassant le couteau. J'ai une idée, ajouta-t-elle en lançant le couteau sur la cible, en plein dans le mille.

J'eus un petit frisson d'angoisse. C'était la cabane bancale qui l'avait provoqué. Les ressorts qui dépassaient dangereusement du matelas, le *dong* du couteau chaque fois qu'il pénétrait dans le mur, les ronds de fumée qui sortaient de la bouche de Del avant de disparaître, ne laissant derrière eux que le fantôme rance d'une odeur.

— Donne-moi ta main, m'ordonna Del.

70

Je la lui tendis. Elle la tint en l'examinant comme s'il s'agissait d'un étrange animal blessé. De son autre main, elle saisit le couteau.

— Ferme les yeux.

— Tu vas me couper ?

— Fais-moi confiance. Allez, ferme les yeux !

Elle me mettait au défi, et je lui obéis, ne voulant pas montrer ma peur.

Elle trancha d'un geste vif, sans hésitation. J'ouvris aussitôt les yeux et essayai de retirer ma main, mais elle la tenait fermement.

— Aïe ! Qu'est-ce que...

L'incision sur mon index était petite mais profonde. Du sang coulait sur le matelas.

Je regardai Del se couper le doigt à son tour, avec la même rapidité et la même assurance. Puis elle me reprit la main et frotta nos doigts l'un contre l'autre.

— On est sœurs de sang maintenant, expliqua-t-elle. Tu as mon sang, j'ai le tien. Pour toujours.

Pressé contre le sien, mon doigt brûlait. Ainsi, Del faisait partie de moi, et je savais que, quel que soit le chemin que prendrait notre amitié, il serait impossible de revenir en arrière. Jamais. J'aurais beau essayer de me séparer d'elle, Del et moi étions liées.

4

8 novembre 2002

— Sauterelle !

La voix de ma mère me tira péniblement du sommeil profond et agité provoqué par le somnifère. J'avais un goût de métal dans la bouche. Je tâtonnai à la recherche de ma montre que j'avais posée sur la caisse à lait à côté de mon lit – elle indiquait sept heures du matin, mais j'avais l'impression qu'on était encore au milieu de la nuit. J'avais rêvé que Del et moi étions dans le cellier et qu'elle me tatouait sur la poitrine les mots « Rose du Désert » avec la pointe rouillée de son étoile de shérif. Il y avait quelqu'un d'autre avec nous, un homme, qui nous observait. Il se tenait dans le coin et je ne pouvais pas voir son visage. Soudain, alors que j'étais allongée sur mon lit, j'eus la sensation absurde que si je me retournais suffisamment vite, je le verrais. Qu'il était resté là, avec moi, toute la nuit. Mais ça n'était qu'un rêve, voyons ! Alors pourquoi avais-je si peur de me retourner ?

Magpie était lovée sur mon ventre, le nez enfoui sous sa queue à l'extrémité blanche, et j'hésitais à déranger cette boule douce et tiède. Je comptai jusqu'à trois et me forçai à regarder dans le coin au fond de la pièce. Rien. Que des particules de poussière qui dansaient dans le soleil.

— Fini, les somnifères ! me murmurai-je.

Ma mère m'appela à nouveau par le surnom que je ne l'avais pas entendue utiliser depuis mon départ pour la fac. Je sortis du lit et allai dans la cuisine en traînant mes pieds nus, suivie par Magpie.

Toutes les portes de placard et tous les tiroirs étaient ouverts, la porte du réfrigérateur entrebâillée. Le plan de travail était envahi de saladiers, de paquets de farine et de sucre, de pots de miel et de mélasse.

L'ouragan Jean était passé par là.

Une bouteille d'huile d'olive ouverte se déversait par terre. Magpie se précipita et se mit à laper délicatement, décrivant des cercles, et laissant des empreintes grasses sur le plancher poli.

Je me souvins comme j'avais été impressionnée par l'aspect net et fonctionnel de la cuisine de ma mère lorsque je l'avais vue pour la première fois deux ans auparavant. Si la femme qui avait pris tant de peine à concevoir cette pièce voyait ce cataclysme, elle en pleurerait.

— Qu'est-ce que tu fais, maman ?

J'étais stupéfaite, autant par le bazar que par le fait qu'elle se soit souvenue de mon ancien surnom.

— Des pancakes ! Des pancakes aux fraises !

C'était mes préférés autrefois – elle m'en faisait le samedi matin dans le tipi, sur un vieux réchaud de camping. Apparemment la mémoire de ma mère n'avait pas été complètement effacée.

Je jetai un œil au saladier de pâte qu'elle s'apprêtait à attaquer avec une cuillère de bois tenue maladroitement dans ses mains bandées – dont la gaze toute salie commençait à se défaire. Il contenait environ une douzaine d'œufs (entiers, avec les coquilles écrasées), un tas de farine, un bloc de fraises encore congelées, le tout recouvert de ce qui semblait être du sirop d'érable. Sors de ce corps, Julia Child !

— Y a plus d'œufs, annonça-t-elle en commençant à battre sa mixture. Il faudra aller en chercher chez les Griswold.

— Les Griswold n'habitent plus ici, maman.

— Ah bon ?

— Non, maman, ça fait longtemps.

M. Griswold était mort d'une crise cardiaque douze ou treize ans auparavant. Les garçons s'étaient dispersés aux quatre vents.

— Y a plus d'œufs, répéta ma mère.

— J'ai une idée. On se débarbouille et on va en ville chercher des œufs, d'accord ? Ensuite, on revient pour faire les pancakes.

— Faut aller chez les Griswold, dit-elle à nouveau, réticente à quitter son saladier de pâte.

En regardant la table en désordre, je vis avec horreur, parmi la farine et les fraises, un petit couteau à découper à manche noir.

— Ça vient d'où, ça, maman ?

Ma mère sourit tandis que je levais le couteau poisseux et que du jus rouge coulait sur mon poignet.

— C'était pour couper les fraises, dit-elle.

Je rinçai le couteau avant de l'enfermer à clé dans le tiroir adéquat, tout en me demandant si ma mère avait caché d'autres surprises dans la maison – objets pointus ou allumettes, pourquoi pas ?

Je l'aidai à enlever sa chemise de nuit tachée de gras et de farine pour enfiler un pantalon et un pull, puis je mis un peu d'ordre afin de changer ses pansements à la table de la cuisine. Je ne tardai pas à m'apercevoir que ce n'était pas seulement dans la cuisine qu'elle s'était salie : sa chemise de nuit et ses chaussettes étaient maculées de ce qui ressemblait à de la boue. La gaze de ses pansements était couverte de terre et de débris de feuilles. Et, sous les taches fraîches de jus de fraise, était-ce du sang séché ?

Après un examen superficiel, je déroulai ses bandages souillés.

— Tu es sortie cette nuit, maman ? Tu t'es fait mal ?

— Il nous faut des œufs, Sauterelle.

Je pris la résolution de fermer sa porte à clé le soir, comme Raven me l'avait recommandé. J'avais eu de la chance qu'elle ait retrouvé son chemin pour rentrer et qu'apparemment elle ne se soit pas blessée. Ça avait dû être quelque chose de la voir errer dans les bois, dans sa longue chemise de nuit blanche, tel le fantôme du passé de New Hope, tandis que j'étais là à ronfler, assommée par les médocs, dans un coma infesté de cauchemars. Je priai pour que Raven, Opal ou Gabriel ne l'aient pas vue. Pas très concluants, mes débuts de garde-malade !

Une fois les bandages enlevés, j'examinai ses mains, les tournant délicatement dans les miennes.

Ses paumes étaient rouge vif et pleines de cloques. Certaines avaient éclaté et un liquide clair en suintait. Je les désinfectai, appliquai de la pommade et refis les pansements.

— Tu es un bon médecin, me dit-elle.

— Je ne suis pas médecin. Seulement infirmière. Infirmière scolaire. Le seul acte médical que je puisse faire, c'est donner de l'aspirine.

— Tu as fait médecine.

— J'ai laissé tomber.

— Mais pourquoi ?

— Pour épouser Jamie.

— Ah oui… Jamie… Un bien gentil garçon. Il est où, Jamie ?

— À Seattle.

— Pourquoi il n'est pas venu ?

— On a divorcé, maman, tu te rappelles ? Ça fait des années qu'on a divorcé.

Soudain, j'aurais voulu être celle qui avait la mémoire en gruyère. Ce serait bien de pouvoir la contrôler, de décider quels souvenirs pouvaient demeurer, lesquels chasser dans les enfers. Pouf ! Et voilà.

Ma mère me regarda en souriant.

— Je vous connais, dit-elle.

Je fixai les bandes avec du sparadrap.

— Dis-moi, maman, comment tu t'es brûlé les mains ?

Elle réfléchit un instant.

— Dans un incendie ?

— C'est ça. Parle-moi de l'incendie. L'incendie dans le tipi.

— C'est l'incendie qui a provoqué mon attaque. Maintenant j'ai un problème de mémoire.

— Tu n'as pas eu d'attaque, maman.

Mais il est fort possible que moi j'en aie une avant que tout ça ne soit terminé.

— L'attaque de l'incendie.

Elle hocha vigoureusement la tête.

— Comment l'incendie a commencé, maman ?

— L'attaque a emporté ma mémoire.

— Maman, tu n'as pas eu d'attaque pendant l'incendie. Tu t'es brûlé les mains.

Je me levai pour ranger la gaze et le sparadrap et remettre la pommade dans la boîte à pharmacie, que je fermai à clé.

— Elle était là, dit-elle alors que j'avais le dos tourné, d'une voix ferme qui me surprit.

— Qui ?

Je lui fis face et la regardai. Elle ne répondit pas.

— Il n'y avait personne avec toi, maman. Raven et Opal n'étaient pas chez elles. C'est Gabriel qui t'a sortie. Tu te rappelles ?

Tu l'as mordu. Tu lui as arraché la peau avec les dents.

Ma mère leva les yeux vers moi, puis les baissa vers ses mains aux pansements propres. Elle sourit.

— Elle était là. Elle sait qui tu es.

— Où on va ? demanda ma mère comme nous sortions de la maison.

— En ville, acheter des œufs.

Cette réponse sembla la satisfaire et elle se glissa sur le siège passager de ma petite voiture bleue de location.

— Ta ceinture, maman.

Elle ne fit pas un geste. Je me penchai au-dessus d'elle, attrapai la ceinture et la bouclai.

— Où on va ? demanda-t-elle à nouveau.

Je répétai ma réponse.

— Les Griswold ont des œufs. Élan Paresseux dit qu'ils ne sont pas bons parce que parfois il y a un petit filament de sang, mais c'est juste qu'ils sont fertiles.

Sur le trajet, nous passâmes devant l'ancienne ferme des Griswold. Je ralentis en voyant deux voitures vertes de la police d'État dans l'allée, ainsi qu'un camion de Channel 3. Derrière la maison, au loin dans le champ, près de l'orée du bois, je vis d'autres voitures et une camionnette blanche. Toute cette scène était une réminiscence sinistre du jour où Del avait été tuée. Ma mère regardait droit devant elle, un sourire satisfait aux lèvres, sans avoir l'air de se rendre compte de tout ce remue-ménage.

Je m'arrêtai à l'intersection de Bullrush Hill Road et de Railroad Street. Un panneau stop y avait été installé juste avant que je parte pour la fac.

J'examinai la façade de la maison des Griswold, abandonnée depuis longtemps, en pensant que le meurtre de Del avait eu lieu trente et un ans auparavant, et non hier.

Alors, qu'est-ce qui se passait, bon Dieu ?

Je n'ai jamais vraiment cru à la vie éternelle, mais si je devais m'inventer un enfer, voilà de quoi il aurait l'air : je serais forcée de revivre sans cesse les pires moments de ma vie, impuissante à en changer le dénouement.

— Les Griswold vendent des œufs, me rappela-t-elle d'un ton impatient.

La maison était toujours de guingois, et ce qui restait de peinture blanche avait fini par s'écailler complètement. Un panneau de contre-plaqué indiquant DÉFENSE D'ENTRER avait remplacé la porte.

L'abri dans le jardin de devant s'était écroulé, à l'instar de la grange. La boîte aux lettres était tombée, heurtée par un chasse-neige peut-être, ou bien dégommée par des gamins à coups de batte de base-ball. À côté, le vieil écriteau se balançait toujours sur son poteau, accroché à une chaîne rouillée, avec ses lettres rouges délavées : ŒUFS FOIN PORCS PATTATES.

Un policier tourna le coin de la maison et regarda notre voiture, arrêtée au stop. Je détournai les yeux pour fixer la route devant moi, mis mon clignotant à gauche et appuyai un peu trop fort sur l'accélérateur. Les pneus crissèrent légèrement lorsque nous descendîmes Railroad Street en direction du centre-ville. Un hommage à Stevie, Joe et leur GTO.

Je pus me garer juste devant l'épicerie-bazar de Haskie. À côté de la boutique se trouvait un bâtiment de briques, l'ancienne gare de New Canaan du temps où les chemins de fer transportaient du bois et des voyageurs entre Wells River et Barre. C'était à présent un magasin d'antiquités, tenu depuis mon enfance par la famille Miller. Ils gagnaient leur vie avec les estivants et les touristes venus admirer les arbres en automne. Sur la porte, un écriteau en jolies lettres manuscrites disait : FERMÉ POUR LA SAISON – RENDEZ-VOUS AU PRINTEMPS !

79

Après avoir détaché sa ceinture, j'entrai avec ma mère dans le magasin, qui servait aussi de bureau de poste. Jim Haskaway, le propriétaire bourru, était également receveur des postes et chef des pompiers volontaires. C'était un magasin général à l'ancienne, avec quelques rayons d'épicerie, une caisse de carabines et de munitions, une bonne sélection de quincaillerie et de matériel de camping, sans oublier bien sûr les assortiments obligatoires de sirop d'érable et de porte-clés I LOVERMONT. Les larges lattes du plancher de pin craquaient, un poêle à charbon ronflait dans un coin, et l'émetteur de Jim résonnait des sirènes et des voix entrecoupées de parasites signalant les dernières catastrophes.

— Qu'est-ce qu'on fait là ? demanda ma mère en regardant autour d'elle d'un air soupçonneux.

— On achète des œufs, maman, tu te rappelles ?

— Les Griswold ont des œufs. Élan Paresseux dit qu'ils ne sont pas bons parce que parfois il y a un petit filament de sang... Oh, regarde ! C'est Jim Haskaway !

Elle semblait ravie et surprise, comme si nous l'avions rencontré par hasard au zoo de San Diego, et non à côté de chez elle, dans le magasin qu'il tenait depuis une bonne trentaine d'années.

— Bonjour, Jean ! Comment allons-nous aujourd'hui ? Alors, m'zelle Kate, on est revenue nous voir ? Mais c'est qu'elle devient aussi jolie que sa maman !

Jim nous fit un clin d'œil. Il était debout, les coudes sur le comptoir. Deux autres hommes parlaient avec lui à voix basse. Ils portaient tous des chemises écossaises de bûcheron. Ils poursuivirent leur conversation, tandis que je guidais ma mère vers le frigo.

— Y paraît que le corps était comme celui de l'autre gamine. Même coup de couteau. Toute nue.

— Y a eu des chiens dans le bois toute la matinée. Ils sont venus avec la camionnette de la police scientifique. Y paraît que le FBI est arrivé.

— Les flics ont ramassé Nicky ce matin de bonne heure, annonça Jim.

— Y vont pas le garder longtemps, répondit le plus petit, un gros. Il a picolé chez Flo jusqu'à la fermeture. Y s'est frité avec un type d'un autre État qu'est venu pour la chasse. Ça, je parie que tout le monde chez Flo se rappellera que Nicky y était. C'est pas lui qu'a tué cette fille.

J'attrapai une douzaine d'œufs dans le frigo et me servis un grand café en écoutant le plus discrètement possible. Alors comme ça Nicky était toujours là, à chercher des noises chez Flo. Ce vieux Billy le Kid, ce hors-la-loi. Je ne pus m'empêcher de sourire.

Ma mère me suivait partout, l'air docile, en fredonnant tout bas. Au comptoir, je pris le journal du matin. MEURTRE À NEW CANAAN, annonçait le titre, au-dessus d'une photo d'école d'une jolie blondinette aux cheveux mi-longs, au visage criblé de taches de rousseur, aux dents de devant légèrement écartées. Jim fit un signe de tête vers le journal tout en tapant mes achats.

— C'est arrivé dans le même bois. Juste derrière la maisonnette de ta mère. Les mômes disent que c'est hanté par là. Moi je dis qu'y faut être cinglé pour aller batifoler dans ce coin. Et regarde ce qui s'est passé. Pauvre gosse. À peine treize ans. Elle

81

s'est pas éloignée plus d'un quart d'heure. Ils ont rien entendu. Et vous, vous avez rien entendu de bizarre, cette nuit ?

Les deux hommes me fixaient, attendant pour évaluer ma réponse. Sherlock Holmes et le Dr Watson en chemises de bûcheron.

Je secouai la tête, sentant inexplicablement que j'allais mentir. Je pensai à ma mère, à sa chemise de nuit et ses chaussettes sales, me demandant où elle avait pu aller, ce qu'elle avait pu voir. Sans doute rien. Elle s'était probablement juste baladée dans le jardin. Le fantôme du passé de New Hope.

— Rien. On n'a rien entendu du tout. On vient juste de voir les voitures de police. Il y a aussi un camion de la télé. Channel 3.

— Opal doit être dans tous ses états, poursuivit Jim.

— Opal ? La fille de Raven ?

Jim me lança un regard plein de pitié. De quelle autre Opal pouvait-il s'agir ?

— Bon sang, Kate, elle était dans les bois aussi. C'est sa meilleure copine qui s'est fait tuer.

— Mon Dieu ! fis-je en frissonnant.

— Ouais, si c'est pas malheureux ! Y paraît qu'elle a été tuée de la même façon que la fille Griswold, y a une paye de ça. Tu te souviens du ramdam que ça a fait, j'en suis sûr. T'étais pas à l'école avec elle ?

Je hochai la tête, me sentant accusée, comme autrefois.

— On était dans la même classe, mais on n'était pas amies. Je la connaissais à peine.

82

Le vieux mensonge revenait facilement, malgré toutes ces années.

— Ouais, un beau ramdam. Je me rappelle qu'ils ont pas été longs à s'en prendre à ce pauvre Nicky Griswold. Mais après ils ont arrêté un des types de New Hope, pas vrai ? Comment y s'appelait déjà ? Je me souviens plus de son nom. Enfin, aucune importance. C'était pas le bon. Ils l'ont jamais attrapé, le bon, d'ailleurs. Jamais. Enfin bref, ça nous fait trois quatre-vingt-neuf, dit Jim après un coup d'œil à sa caisse, revenant à son commerce.

Je trouvai ma mère en train d'examiner le présentoir à magazines. Elle avait pris un exemplaire d'une revue de chasse et regardait la biche morte sur la couverture. Un homme en orange fluo tenait l'animal éviscéré à bout de bras tel un danseur fatigué se préparant pour sa dernière valse.

— Viens, maman, on rentre. On va faire des pancakes.

— Qu'est-ce qui est arrivé à cette fille ? demanda ma mère.

Elle avait donc écouté.

— Rien.

Rien, sauf qu'on vient de nous balancer dans mon petit enfer personnel, mais qu'est-ce qu'on en a à faire ? On a des pancakes aux fraises sur le feu. Ceux que je préfère. Tu te rappelles ?

Elle remit le magazine à l'envers sur le présentoir et se dirigea vers le groupe qui discutait au comptoir.

— Qu'est-ce qui est arrivé à cette fille ? insista-t-elle.

— Assassinée, dit le gros avant que Jim ait pu l'arrêter.

— Pauvre petite !

Les trois hommes hochèrent la tête.

Je la pris par le bras et l'emmenai à l'extérieur.

Je ne cessai de penser à Opal, me demandant ce qu'elle avait vu. Je ne savais que trop bien ce que ça faisait d'avoir sa meilleure amie sauvagement assassinée. On ne s'en remettait jamais.

— Tu la connaissais, n'est-ce pas ? me demanda maman tandis que nous passions la porte.

— Qui ?

— Celle qui est morte. Tu attendais le bus avec elle. Tous les matins. Vous n'étiez pas copines ?

— Non, maman. Je la connaissais, voilà tout. Et c'était il y a longtemps.

— Pauvre petite !

5

Début mai 1971

Del ne voulait pas croire que je vivais dans un tipi, et ça faisait plusieurs jours que nous nous disputions à ce sujet. Je finis par accepter de l'emmener en haut de la colline pour qu'elle le constate par elle-même.

— Alors, si je comprends bien, t'es pas seulement hippie, t'es aussi indienne ? m'avait-elle demandé au cours d'une de nos discussions.

— Je suis pas indienne.

— Ta mère, alors ?

— Nan.

— Ton père ?

— J'ai pas de père. On habite avec Mark dans le tipi. Mark est pas indien, mais il a un nom indien, Élan Paresseux.

— J'ai jamais rien entendu d'aussi débile. Complètement tarés, ces hippies !

Les semaines précédentes, je m'étais dit que je devrais inviter Del, officiellement – ma mère aurait été ravie que j'amène quelqu'un à la maison, même la maigre et flippante Del Griswold. Elle me demandait souvent comment ça allait à l'école, si je me faisais des amis.

« Oui, mentais-je, j'en ai plein.

— Comment s'appellent-ils ?

— Ben, répondais-je en me mordant la lèvre pour trouver l'inspiration, mes deux meilleures copines s'appellent Ellie et Sam.

— Et la fille qui habite en bas de la côte ? La petite Griswold ?

— Oh, on n'est pas copines !

— Pourquoi ?

— Elle est un peu bizarre. Les autres l'appellent la Patate.

— Tss, tss, tss, faisait ma mère en secouant la tête. J'espère que tu ne l'appelles pas comme ça.

— Non, jamais. »

Ma mère souriait en m'ébouriffant les cheveux. J'étais sa gentille petite, amie avec les bons élèves populaires, mais qui se gardait bien de se moquer des marginaux.

Quand même, je me demandais ce que ça ferait d'amener Del à New Hope. J'essayais de me la représenter assise à la table commune, d'imaginer sa tête lorsque Gabriel lui servirait une louche de soupe aux lentilles dans un bol en bois. Elle ferait des grimaces, me donnerait des coups de pied sous la table en pensant qu'elle avait atterri sur Mars.

Mais Del était mon secret, tout comme j'étais le sien, et je ne l'invitai jamais chez moi. Au lieu de cela, nous décidâmes d'épier le tipi de loin, d'espionner ma propre maison, telles deux voyeuses.

Au bout de dix minutes de marche dans le bois nous arrivâmes à l'embranchement qui conduisait à la vieille cabane. Je me demandai si Nicky y était, en train de fumer et de feuilleter ses magazines, et j'espérai que nous tomberions sur lui en revenant chez les Griswold.

— Je connais quelqu'un qui est amoureux de toi, fit Del juste à ce moment-là.

J'eus le sentiment bizarre qu'elle avait lu dans mes pensées – mais elle m'avait peut-être simplement surprise à regarder le sentier broussailleux.

Je rougis.

— Qui ça ? demandai-je, comme si je ne savais pas.

— *Oh, les amoureux !* chanta-t-elle. Il en pince vraiment pour toi. T'en as de la chance ! Mais avant de te réjouir, il y a deux ou trois choses que tu devrais savoir sur mon grand frère. Tu sais, il a pas mal de secrets. Pas toujours jolis-jolis. Et même carrément affreux.

— Quoi, par exemple ?

— Peut-être que je te le dirai, peut-être que je te le dirai pas. Peut-être que je te laisserai trouver toute seule. Tout ce que je sais, c'est que les choses sont pas toujours ce dont elles ont l'air.

Elle tripota son étoile de shérif. Elle portait un tee-shirt rose taché et toujours le même pantalon de velours. Ses cheveux étaient encore humides de sa douche. Elle sentait la terre mouillée et le talc.

— D'abord, qui t'a dit que je voulais savoir ? Qui t'a dit que je m'intéressais à ton grand singe de frère ?

— En tout cas, t'as l'air intéressée quand t'es avec lui, Rose du Désert. On dirait déjà deux amoureux transis. Trop gerbant.

En effet, je pensais beaucoup à Nicky, je sentais une espèce de décharge électrique lorsque j'étais près de lui. Mais que Del s'en rende compte m'embarrassait.

— Rose du Désert, c'est vraiment comme ça que tu as peint ta chambre ? demandai-je, histoire de changer de sujet.

— Nan, papa a pas voulu.

Elle fit une petite pause, regarda par terre et fronça les sourcils comme si elle venait de se rappeler quelque chose. Puis elle revint à notre conversation :

— Mais j'ai pris l'échantillon à la quincaillerie Thurston ! Je te le montrerai un jour. C'est vraiment joli. Je t'ai donné le nom d'une très jolie couleur.

— J'aimerais bien voir ta chambre.

J'avais souvent essayé de l'imaginer. Je me demandais si Del possédait vraiment toutes les choses merveilleuses dont elle se vantait, le lit à baldaquin, une collection de plus de cent chevaux en plastique, les queues des fameux bébés cochons dans un bocal d'alcool.

— Impossible. Papa veut pas qu'on amène des amis. Stevie et Joe peuvent amener leur copine de temps en temps, ça il est d'accord, de toute façon c'est presque des adultes maintenant. Papa dit que la famille, ça devrait suffire.

Aussi étrange que la vie pût paraître chez moi, si on peut appeler un cercle de toile tendu sur des poteaux un chez-soi, elle paraissait encore plus étrange chez Del. Je vivais dans un monde pratique-ment dénué de règles – Gabriel estimait que les enfants s'élèveraient très bien tout seuls s'ils n'étaient pas bridés par les adultes et leurs blocages. Del, je le savais, prenait des claques si elle ne lavait pas son assiette.

Tout en marchant, je décrivais ma vie à New Hope, le camping dans le tipi, les repas en commun dans la grange principale avec les autres résidents. Je lui racontai qu'Élan Paresseux allumait le petit transistor le soir dans le tipi et qu'il invitait ma mère à danser. Parfois ils m'incluaient dans leur danse, et nous nous lancions dans des mouvements bizarres, comme des robots, des serpents, des oiseaux. Nous tournions en piqué autour du tipi, en croassant telle une famille de corbeaux.

Élan Paresseux s'efforçait de se comporter comme un père, mais je ne parvenais pas à le prendre au sérieux. Tous les soirs il me racontait des histoires de Coyote le Filou et il m'appelait Saute-relle. Parfois je l'aidais à confectionner ses bijoux, assemblant des brindilles, des cailloux, et des bouts de verre et de fil de fer pour en faire des colliers. Je l'accompagnais dans des expéditions de collecte, d'où nous revenions les poches pleines de jolis cail-loux, de languettes de cannettes de bière et de vieilles cartouches de carabine.

— N'importe quoi ! s'écria Del. Franchement, qui voudrait porter des bijoux faits avec des cochon-neries ?

Je lui parlai de la plume de son chapeau. Je lui dis qu'il appelait ça un talisman.

— Et moi qui croyais que mon père était cinglé !

— C'est pas mon père. C'est Mark. Il est sympa. Juste un peu maboul.

En fait, Élan Paresseux était pour moi ce qui se rapprochait le plus d'une figure paternelle. Je n'avais pas connu mon vrai père, et les autres petits amis de ma mère n'étaient jamais restés assez longtemps. Toute ma vie, j'avais secrètement espéré que quelqu'un allait venir remplir ce vide, et si ce quelqu'un avait un chapeau à large bord, fabriquait des bijoux avec des cochonneries et dansait comme un oiseau, eh bien soit.

— Comment il se fait appeler, déjà ? Orignal Mollasson ?

— Élan Paresseux, répondis-je en riant. Allez, il faut se taire maintenant, on est tout près.

Je vis le sommet du tipi à travers les arbres, là où le sentier s'arrêtait, et je sentis la fumée qui s'échappait du four en argile à l'extérieur de la grange principale. J'entendis des voix, tendis l'oreille pour distinguer qui parlait et m'approchai en rampant.

Je connaissais maintenant assez bien les habitants de New Hope et je les appréciais malgré leurs diverses bizarreries. Gabriel était intelligent et très patient, celui vers qui se tourner en cas de devoirs difficiles ou de dilemme moral. Sa femme, Mimi, avait bien dix ans de moins, mais son amour pour lui sautait aux yeux et confinait à l'adoration. Il était sa vie, et quelles que soient les visions qu'il avait pour New Hope, elles devenaient siennes par défaut.

Bryan et Lizzy étaient les seuls autres résidents de la première heure. Âgés d'une quarantaine d'années, ils fabriquaient des poteries qu'ils vendaient sur les marchés artisanaux. Ils habitaient une petite bicoque près de l'étable à chèvres. C'est Lizzy qui avait eu l'idée. Elle avait pensé que New Hope pourrait gagner de l'argent en vendant du lait, du fromage et même du savon à base de lait de chèvre. Mais une fois les bêtes sur place, Lizzy découvrit que pour qu'elles donnent du lait il fallait qu'elles soient tout le temps pleines et que leur progéniture leur soit enlevée. Cela lui sembla cruel, et les chèvres ne servirent pas à grand-chose, sinon à provoquer une certaine excitation chaque fois qu'elles traversaient la barrière pour passer dans le potager ou pénétrer par une porte ouverte. Il leur était même arrivé de grignoter la toile de notre tipi.

Shawn et Doe, un jeune couple, vivaient dans une cabane en rondins derrière la serre. Shawn était le mécanicien et le bricoleur de la communauté. Il entretenait les voitures et le tracteur. Si quelque chose était cassé, il le réparait. Quant à Doe, elle passait le plus clair de son temps avec Raven, bébé capricieux et exigeant.

Zack était en première année à l'université de Dartmouth lorsqu'il lut dans un journal socialiste un article de Gabriel sur la nature des communautés. Il fit du stop pour passer un week-end à New Hope et rencontrer Gabriel – et y resta. Quand il n'était pas plongé dans des exemplaires fatigués de *Siddhartha* et du *Manifeste du parti communiste*, il jouait des chansons de Bob Dylan sur sa vieille guitare à six cordes. Zack s'était entiché de Gabriel, et tous deux avaient de longues discussions passionnées mais amicales sur ce que serait une société véritablement démocratique.

Au fur et à mesure que le sol s'aplanissait et que les arbres s'éclaircissaient pour laisser place à de jeunes pins rabougris, je reconnus les voix de Doe et de Mimi. Nous nous cachâmes derrière un énorme rocher à côté de l'entrée du sentier. Le tipi se trouvait juste à notre gauche, si près que nous sentions l'odeur de la toile humide, et la grange principale à notre droite. Entre les deux, le four d'argile en forme de dôme où nous cuisions notre pain. Au-delà du four d'où s'élevait un ruban de fumée, nous pouvions apercevoir une extrémité de notre potager et l'épouvantail en chiffons que nous avions confectionné, ma mère et moi.

Debout, nous tournant le dos, Mimi et Doe pétrissaient du pain sur la longue table de bois devant le four. Elles avaient toutes les deux les cheveux jusqu'au milieu du dos, noirs et bouclés pour Doe, raides et châtains pour Mimi. Raven sommeillait sur une couverture posée sous la table, à l'ombre.

— Tu vois que je vis dans un tipi ! murmurai-je.

Fascinée, les yeux écarquillés, Del hocha la tête. Nous tendîmes l'oreille.

— Tout ce que je dis, c'est que ce n'est pas bien, la façon dont il te traite, dit Mimi. Refuser d'admettre que le bébé est de lui. De qui se moque-t-il, à la fin ?

Bizarre. Est-ce qu'elles parlaient de Shawn ? Il était gaga de Raven, et de Doe aussi, d'ailleurs.

— Il le sait, répondit Doe. Bien sûr qu'il le sait. Je crois que le problème c'est qu'il ne veut pas que d'autres le sachent, et ça ne me dérange pas. Tu comprends, Raven est à moi. Elle sera toujours à moi, peu importe qui est le père.

Elle s'accroupit pour caresser le front du bébé.

— Eh bien, je trouve que c'est un manque de respect, rétorqua Mimi. Ça équivaut à mentir, c'est tout. Mentir à tout le monde ici, et surtout lui mentir à elle. Je trouve ça minable. Je trouve ça vachement minable de sa part. Et Gabriel est d'accord avec moi.

— Parce que Gabriel est bien placé pour porter un jugement ? Tu sais : « Que celui qui n'a jamais péché », etc.

Doe se releva, saisit un plateau de pâte qu'elle enfourna à l'aide de la grosse palette de bois accrochée à côté de la porte du four. Elle leva les bras au ciel et se pencha à gauche puis à droite pour s'étirer. Puis elle se tourna pour faire face à Mimi, et à nous par la même occasion.

— Je regrette d'avoir dit ça. Je ne voulais pas insulter Gabriel. C'était mesquin. Ce n'est pas après lui que je suis en colère.

— Donc tu admets que tu es en colère ? demanda Mimi.

— Non, pas vraiment. Mais parfois, c'est dur de garder un secret comme ça.

— Alors, ne le garde pas. Parle. Je pense que tu devrais dire la vérité à tout le monde.

— Allons-nous-en, chuchotai-je, mais Del ne réagit pas.

J'avais beau être curieuse, je ne voulais pas en entendre plus. New Hope n'était pas un endroit où on avait des secrets, et cela me paraissait assez confortable. On se disait tout au cours des réunions de cercle – les femmes racontaient même quand elles avaient leurs règles (qu'elles appelaient leur « période lunaire »).

Je me relevai lentement de ma position accroupie et donnai un petit coup de coude à Del. Elle ne bougea pas.

— Regarde ses nénés, souffla-t-elle. Ils pendent sur son ventre ! Les hippies connaissent pas les soutiens-gorge ?

— Tu fais ce que tu veux, moi, j'y vais. Je veux pas me faire prendre, murmurai-je, avec le sentiment étrange d'être une intruse devant ma propre maison.

Del fixait toujours Doe et Mimi comme si elles étaient des animaux de cirque, des paons ou des ours savants. Je tournai les talons et commençai à rebrousser chemin, prenant garde à ne pas faire trop de bruit en marchant sur des branches ou des feuilles mortes. Je levais les pieds bien haut et regardais où je les posais.

Une minute plus tard, j'entendis des pas derrière moi, c'était Del qui me rattrapait au galop. Elle me saisit par l'épaule.

— Bouh ! fit-elle tout bas. Tu marches comme si t'avais fait dans ton froc !

Nous nous mîmes à rire et partîmes au pas de course. Quand nous fûmes sûres de ne plus être entendues, Del m'interrogea sur New Hope. Elle voulait tout savoir en même temps.

— Alors il est de qui, ce bébé ? Ils sont pas mariés ? Ça se marie, un hippie ? Et c'est qui, ce Gabriel ? Et celui qui est minable ?

— Doe, la maman du bébé…

— Doe, elle s'appelle Doe ? Doe, comme un dos ?

— Je crois que c'est le diminutif de Dorothy ou Doreen ou quelque chose comme ça. Bref, elle est avec Shawn, mais je crois pas qu'ils sont mariés, et il est tout sauf minable. Il sait réparer n'importe quoi, et il est adorable avec le bébé.

— C'est lui, le papa ?

— Je crois.

En fait, je n'en étais plus sûre. Mais je décidai d'essayer d'oublier tout ce que j'avais entendu, de ne pas me laisser déstabiliser. Normalement, il n'y avait pas de secrets à New Hope. J'étais la seule à mener une double vie, à entretenir une amitié dont personne ne connaissait l'existence.

— Comment ça, tu crois ? Mince alors, les hippies sont encore pires qu'on le dit. Voilà une fille avec un nom débile qui est peut-être mariée, mais peut-être pas, avec le type qui est peut-être le père de son bébé, mais peut-être pas, et un mec qui s'appelle Orignal Mollasson et qui fait des bijoux avec des bouts de bois et des cailloux. Ma meilleure amie vit pour de vrai dans un tipi indien pourri, et les gens font cuire leur pain dans un tas de boue. Putain, Kate ! Qu'est-ce que c'est que cet endroit ?

L'étonnement agrandissait les yeux de Del, et moi j'exultais. Pour la première fois je voyais qu'elle s'intéressait à moi, que ce n'était pas l'inverse. Et elle m'avait appelée sa meilleure amie. En quelques semaines à peine, j'étais devenue la meilleure amie de la Patate.

Plus qu'un mois d'école ou presque, et je m'imaginais déjà un été passé dans les champs, le cellier et la cabane penchée. Del me laisserait peut-être monter son poney. Je rencontrerais peut-être la personne qui lui avait fait son tatouage. Je la distrairais avec mes histoires incroyables de New Hope. Je l'emmènerais espionner. Je lui montrerais même Doe donner le sein à Raven sur le porche de la grange principale. Je lui apporterais des bijoux fabriqués par Élan Paresseux et lui chanterais les chansons révolutionnaires de Zack. Elle m'appellerait Rose du Désert et m'apprendrait à faire des ronds de fumée. Je perfectionnerais mon tir avec la carabine de Nicky et je m'exercerais à lancer le couteau au manche de plastique dans la cible. Et peut-être, je dis bien peut-être, que Nicky me demanderait d'être sa petite copine et qu'il me dirait son grand secret, et que quand je le connaîtrais, je ne le trouverais pas si affreux. Je ne l'en aimerais que plus.

— On fait la course jusqu'aux cochons, s'écria Del en se mettant à courir, me sortant de ma rêverie. Tu m'attraperas pas !

Je la suivis, mais comme d'habitude, elle arriva la première. Jamais je ne la rattrapais.

6

10-13 novembre 2002

Magpie disparut le troisième jour. La chatte avait été une constante dans la vie de ma mère – elle se souvenait de son nom et sa simple présence l'apaisait, même lorsqu'elle était très agitée.

Nous regardâmes partout dans la maison, puis parcourûmes New Hope en l'appelant d'un ton aigu et suppliant. Nous fouillâmes la grange principale, retournant de vieux meubles pleins de poussière et de toiles d'araignée, aidées par Gabriel.

— Comment va Opal ? lui demandai-je.

— Elle tient le coup, je crois. Elle dort mal, elle fait des cauchemars. Raven a pris rendez-vous avec un pédopsychiatre.

J'approuvai d'un signe de tête.

— C'est la meilleure chose à faire. Elle a subi un sacré choc.

— Tu devrais peut-être lui parler, suggéra Gabriel. Tu en es passée par là avec la petite Griswold, n'est-ce pas ?

— Ce n'était pas la même chose. Nous n'étions pas proches.

Il me regarda comme s'il savait que je mentais. Ce bon vieux Gabriel avait toujours la faculté de voir au fond de votre âme.

Ce que je négligeai de dire à Gabriel, c'est que j'avais déjà essayé de parler à Opal, le lendemain du meurtre. J'étais allée à la grange principale avec ma mère après nos pancakes, et Raven m'avait appris tous les détails macabres. Opal était sortie de sa chambre en titubant et nous avait rejointes autour de la table.

— Tu devrais dormir, chérie, avait dit Raven.

— Je peux pas.

Puis elle se tourna vers moi.

— Tu crois à la Patate ? me demanda-t-elle à brûle-pourpoint.

Raven retint sa respiration. Ma mère émit un petit rire.

— Je ne crois pas aux fantômes, lui répondis-je. Del Griswold était une enfant en chair et en os, comme toi et moi.

— Alors tu ne crois pas que les gens peuvent revenir ? Après leur mort, je veux dire.

— Non, je ne crois pas.

— Et si je te disais que je l'ai vue ?

Son regard était désespéré.

— Je croyais qu'on avait déjà parlé de ça, ma puce, dit Raven.

Opal l'ignora et continua de me fixer, dans l'attente d'une réponse.

— Si tu me disais que tu l'as vue, je te prendrais au sérieux, lui dis-je, pesant soigneusement mes mots.

Opal me fit un signe de tête, puis se leva et retourna dans sa chambre, traînant les pieds comme un zombie.

— Elle croit que le fantôme a tué sa copine, dit Raven à voix basse, agrippant sa tasse de café d'une main légèrement tremblante. Hier soir, elle a même dit qu'elle croyait que la Patate en avait après elle. Que c'était elle, Opal, qu'elle voulait tuer, et pas Tori.

Je hochai la tête, compatissante.

— Elle a beaucoup perdu, Kate. D'abord, toutes ses affaires dans l'incendie. Ses livres et ses maquettes d'avion. Et maintenant ça. Je ne crois pas... j'aimerais bien que tu ne dises ni ne fasses rien pour encourager ces... histoires de fantômes, me dit-elle en me regardant d'un air glacial. D'accord ?

— Oui, bien sûr, dis-je, me sentant idiote.

Soudain ma mère émit un petit rire. Raven sursauta et renversa son café.

— Merde ! Merde ! Merde !

Elle se leva et jeta sa tasse vide dans l'évier. Elle nous tournait le dos et pleurait sans vouloir nous le montrer.

Nos recherches nous conduisirent, Gabriel, ma mère et moi, devant le four, réduit à un triste tas de briques et d'argile, puis vers les restes calcinés du tipi, tandis que nous lancions en chœur des « Magpie ! » désespérés. Je donnai un coup de pied dans le tas carbonisé et froid, et je me rendis compte que ma mère s'en était sortie par miracle. Je me demandai une nouvelle fois comment l'incendie avait commencé : ma mère avait-elle simplement essayé d'allumer une lampe, ou – hypothèse plus sinistre – avait-elle délibérément craqué l'allumette sur la toile ?

En voyant le tipi brûlé, elle éclata en sanglots.

— Magpie ! hurla-t-elle en tombant à genoux, comme si elle avait trouvé le petit squelette parmi les débris.

Gabriel la ramena à la grange et lui fit du thé pendant que je continuais les recherches.

Je traversai les jardins envahis d'herbes touffues et desséchées – chardons, chiendent, bardane. À l'extrémité nord, les ronces prospéraient : des buissons de framboises et de mûres formaient une barrière impénétrable entre le jardin, le petit pré, et l'étable qui abritait naguère des chèvres, des poulets et des moutons. Derrière ces haies je vis la bicoque qui servait de logis à Bryan et Lizzy avant qu'ils n'aillent à Hawaii fonder leur propre communauté, peu après mon départ pour la fac. Le toit se creusait profondément en son centre, la cheminée de métal rouillé penchait à quarante-cinq degrés. Une autre victime du temps, ce Grand Méchant Loup.

Sur le côté ouest des jardins, la serre n'était plus qu'un tas informe. « Je soufflerai, je gronderai, et ta serre s'écroulera. » Je me mis à genoux et appelai la chatte en inspectant les décombres. Je retirai une planche pleine d'échardes et déchirai la manche de mon chemisier sur un clou rouillé. En regardant de plus près, je vis que je saignais, pour tout arranger.

— Merde ! marmonnai-je, en essayant de me souvenir de la date de mon dernier rappel. Tu me dois quarante dollars, Magpie. Et si j'attrape le tétanos...

Je me remis debout. Au-delà des restes de la serre s'élevait la hutte octogonale où Doe et Shawn avaient vécu. Elle semblait assez bien conservée, et je me demandai pourquoi Raven avait choisi de vivre dans le tipi plutôt que dans la maison de son enfance, que sa mère avait construite de ses mains. Sans doute sommes-nous tous en quête d'indépendance, chacun à sa façon.

Aucun signe de Magpie. Je revenais à la grange lorsque je vis quelqu'un s'avancer sur le vieux sentier qui menait à travers bois chez les Griswold. Je clignai des yeux, incrédule. C'était une fillette. Une fillette munie d'un long bâton avec lequel elle fourrageait dans l'herbe sèche. Penchée en avant, elle scrutait le sol intensément, séparant les herbes mortes d'un côté puis de l'autre. Une gamine maigrichonne aux cheveux en bataille et aux vêtements froissés. Et l'espace d'une seconde, d'une infime seconde, je retins mon souffle en pensant, *ce n'est pas possible...*

Bien sûr que non. Elle leva la tête, ce n'était qu'Opal. J'allai à sa rencontre et elle jeta le bâton d'un air coupable.

— Tu as perdu quelque chose ? demandai-je.

Elle eut l'air troublée. Je me demandais si c'était judicieux qu'elle aille traîner dans les bois où son amie avait été assassinée.

— Oh, je cherche Magpie, répondit-elle.

Drôle de façon de chercher un chat perdu – un hamster, à la rigueur –, mais je n'en fis pas la remarque.

— Tu ne l'as pas vue, alors ?

— Qui ?

— Magpie, la chatte !

— Non, pas du tout.

— Bon, rentrons boire un thé. Je crois que Gabriel vient d'en faire.

Je lui effleurai le bras pour la guider vers le havre de la grange, mais elle ne bougea pas.

— Au fait, tu as eu l'avion ? C'était bien celui-là ?

La veille, j'étais allée au magasin de loisirs de Barre lui acheter une maquette de biplan Curtiss Jenny pour remplacer celui qui avait brûlé dans l'incendie. Je m'étais dit qu'une maquette aurait peut-être des vertus thérapeutiques. Le vendeur m'avait regardée d'un air bizarre lorsque je lui avais demandé s'il avait des figurines en plastique de la taille adéquate pour marcher sur les ailes, mais il m'avait montré une collection de personnages à la bonne échelle, et j'avais choisi une femme en jean dans une attitude de marche.

— Mince, oui, *excuse-moi* ! dit Opal. Merci beaucoup, vraiment. J'adore la cascadeuse. Tout est parfait. Je l'ai commencée hier soir.

— C'est le type du magasin qui a choisi les peintures et la colle.

— Elles sont géniales. Vraiment. Il sera encore mieux que l'ancien. C'est trop gentil, merci.

— De rien. Ça m'a fait plaisir.

— Kate, je peux te demander quelque chose ?

Oh, oh, pensai-je, sachant que ça ne serait pas un conseil pour sa maquette. *Nous y voilà.*

— Bien sûr.

— Tu la connaissais, Del Griswold ?

— Un peu.

— Est-ce qu'elle connaissait ma mère ?

— Ta mère était encore un bébé à la mort de Del.
Elle réfléchit un peu avant de poursuivre.

— Tu saurais pourquoi Del voudrait me faire du
mal ?

J'inspirai profondément.

— Qu'est-ce qui te fait penser qu'elle voudrait te
faire du mal ?

— Si je te dis un secret, tu promets que tu diras
rien à personne ?

J'avais l'impression de savoir où cela nous menait.
Peut-être aurais-je dû mettre fin à cette conversation ; après tout, Raven m'avait bien spécifié que je
ne devais pas encourager toutes ces bêtises. Opal
était fragile, traumatisée même, et je ne voulais pas
aggraver les choses. Mais elle avait besoin de se
confier à quelqu'un, une personne qui la laisserait
raconter son histoire. Elle se sentait attirée par moi
parce que j'avais connu Del, peut-être aussi parce
que je m'étais occupée d'elle lorsqu'elle s'était
blessée, deux ans auparavant. Je me revoyais courir
vers ce petit tas hurlant et terrorisé qui se tortillait
par terre à côté de la pile de matelas. « Il y a
quelqu'un là-haut », avait-elle gémi. Et quand j'avais
regardé, n'avais-je pas cru voir quelque chose, moi
aussi ? Rien qu'une ombre, se faufilant par la porte
ouverte du grenier ? Tandis que je la serrais dans
mes bras, là, par terre, c'était bien nos deux cœurs
qui battaient la chamade.

Quelles que soient les raisons pour lesquelles Opal
voulait me confier ses secrets, je ne pouvais pas la
repousser.

Je repensai à ma première rencontre avec Del.

« Bon, si je te montre mon secret, tu dois me promettre que tu diras rien à personne. Tu dois jurer : "Croix de bois, croix de fer, si je mens je vais en enfer." »

— Je te le promets.

Opal me regarda en plissant les yeux. Je réalisai qu'elle avait le même âge que Del quand nous avions fait connaissance. Elle lui ressemblait un petit peu, aussi. Plus qu'un petit peu. Ou était-ce mon imagination ?

Pitié, pensai-je, *ne me dis pas que tu as un tatouage.*

— La Patate est venue me chercher cet après-midi. Avant que je retrouve Tori et les copains dans les bois.

— Comment ça ?

— Oui, j'étais dans ma chambre et je l'ai vue. Elle était là, debout, à me regarder. Puis elle a ouvert la bouche pour dire quelque chose, mais il n'est sorti aucun son. Juste de l'air froid et humide. Comme dans une grotte.

Je ne dis rien. Je ne fis qu'un signe de tête en essayant de ne pas avoir l'air trop sceptique.

— Ce n'était pas la première fois. Mais là, ça faisait longtemps, presque deux ans. Je la voyais sans arrêt quand j'étais petite. Parfois, je ne l'apercevais que du coin de l'œil, je ne pouvais être sûre de rien. Mais de temps en temps, quand je faisais du vélo ou que je me promenais dans les bois, elle était là, à découvert, et elle me regardait avec un petit sourire vraiment flippant. Comme si elle savait quelque chose et pas moi. Plus je grandissais, moins je la voyais. Je me disais qu'elle était partie pour de bon, jusqu'à ce jour dans le grenier. Tu te souviens ? Le jour où je me suis cassé le bras et que tu m'as aidée ?

— Je me souviens, dis-je.

En fait, j'étais justement en train d'y repenser.

Opal s'appuya contre le gros rocher derrière lequel Del et moi nous étions cachées si longtemps auparavant. Son regard se porta dans la direction du four en ruine, mais je savais qu'elle ne voyait rien.

— Ce jour-là, j'étais accroupie sur le bord, prête à sauter, et c'est là que je l'ai vue, tout près, à un mètre de moi, complètement… réelle, tu vois ce que je veux dire ? Elle n'avait pas l'air d'un fantôme, mais d'une fille, en vrai. Elle a tendu les deux mains vers moi, hop, et ça m'a fichu la trouille. J'ai perdu l'équilibre. J'ai totalement loupé mon atterrissage.

Elle secoua la tête d'un air dépité, encore contrariée d'avoir raté son saut. Si une de ses cascadeuses aériennes bien-aimées avait fait ce genre de faute, elle ne s'en serait pas tirée avec juste un bras cassé.

— Alors voilà, Kate : je pense que Del veut ma peau. Je suis presque sûre que c'est après moi qu'elle en avait, et pas après Tori. Mais ce que je ne comprends pas, c'est pourquoi. J'espérais que tu pourrais m'aider sur ce point. Que peut-être, si tu me parlais d'elle, je pourrais comprendre ce qu'elle veut.

— Pourquoi penses-tu que tu étais visée ? demandai-je, gardant un ton neutre, impartial.

— C'est là que tu dois jurer de rien dire, d'accord ? À cause du blouson. Tori portait mon blouson. Je l'avais emprunté à ma mère. Mais personne le sait, ni la police, ni personne.

105

— Comment peuvent-ils ne pas savoir ?

— Eh ben, je... je l'ai repris après sa mort. Je ne voulais pas me faire disputer. Je sais, c'est nul, hein ? fit-elle en levant les yeux au ciel. Tout ça pour un blouson. Mais j'y ai beaucoup pensé et je me suis dit que, du coup, elle me ressemblait peut-être, dans le noir. Tu comprends, je le porte tout le temps, et il a plein de franges, et il est vachement reconnaissable (sa voix devenait hystérique), et on est blondes toutes les deux...

Je mis la main sur son bras et elle se tut. Je crus qu'elle allait se mettre à pleurer, mais non.

— Et puis j'ai vu quelque chose dans les bois quand je suis revenue chercher le blouson.

— Quoi ?

— La Patate. Elle se cachait derrière un arbre, et elle regardait. Elle portait une longue robe blanche, et quand elle est partie, on aurait dit qu'elle flottait.

— Opal, écoute-moi. Ce qui est arrivé à Tori est horrible, impensable. C'est normal que tu veuilles le comprendre, l'expliquer et même que tu te sentes coupable. Tout à fait normal. Ça porte même un nom : la culpabilité du survivant. Mais tu dois savoir que tu n'as rien à voir avec la mort de Tori. Et Del non plus.

Quand Opal me répondit, sa voix n'était qu'un murmure.

— Je te crois pas. Je sais ce que j'ai vu.

Je soupirai profondément. Bravo pour la psychologie de comptoir.

— Bon, admettons que Del puisse revenir, pour l'instant on ne tient pas compte du fait que c'est impossible. Il n'y a aucune raison au monde pour

106

que Del Griswold veuille te faire du mal. Je connais plein de personnes à qui elle pourrait s'en prendre en premier.

— Qui, par exemple ?

— Moi. Tous nos camarades d'école.

— Pourquoi ?

— Parce qu'on n'a pas été très gentils avec elle, répondis-je.

C'est le moins qu'on puisse dire.

— Hé, t'as vu, tu saignes ?

Ma coupure s'était ouverte et le sang avait détrempé ma manche déchirée.

Nous repartîmes vers la grange principale, où je lavai ma blessure au lavabo tandis qu'Opal me cuisinait à propos de Del. Elle était toute rouge et paraissait avide du moindre élément que je pourrais lui offrir. Elle ressemblait moins à Del maintenant que nous étions à l'intérieur et qu'elle avait retrouvé des couleurs, à mon grand soulagement. J'en étais venue à me demander si c'était moi qui avais des visions.

— Comment elle était ?

— Très volontaire. Coriace. Elle n'avait pas peur de grand-chose.

— Elle était méchante ?

— Elle pouvait l'être, je pense. Mais c'était surtout les autres qui se montraient méchants avec elle.

— Pourquoi ?

— Sans doute parce qu'elle était différente. Il n'y a pas un élève qui est le souffre-douleur de toute ta classe ?

107

— Si, Johnny Lopez. Il louche et il porte des hauts de pyjama à la place de chemises.

— Eh bien, Del était notre Johnny Lopez.

Raven apparut sur le seuil de la salle de bains, ses sourcils froncés montrant qu'elle était là depuis assez longtemps pour avoir assisté à notre conversation.

— Il me semblait bien que je vous avais entendues là-dedans. Vous avez trouvé Magpie ?

— Non, répondis-je. Je me suis coupée en la cherchant dans l'ancienne serre. Opal me donne les premiers soins.

Opal m'aida à poser un pansement sur la coupure.

— Dis donc, tu te débrouilles mieux que moi, et pourtant c'est mon métier. Tu ne voudrais pas abandonner ces histoires de cascadeuse et faire médecine ?

— Pas question ! répondit-elle en riant.

— Ça fait moins mal de réduire des fractures que de se les faire.

— Je préfère me casser tous les os plutôt que de passer mes journées à coller des pansements, quelle barbe ! s'exclama Opal.

— Je crois que ta mère est prête à rentrer, me dit Raven.

Comprenant le message, j'allai la chercher et la ramenai doucement à la maison, en lui promettant que la chatte allait revenir. Les chats partaient toujours dans des expéditions solitaires, lui expliquai-je. Ils prenaient leurs cliques et leurs claques de chats, et ils allaient parcourir le monde à la recherche de souris plus exotiques. C'était dans leur nature. Peu à peu, ma mère passa du chagrin au soupçon, puis à la colère.

— Tu t'es débarrassée de ma chatte ! me lança-t-elle dans un sanglot.

— Je ne me suis pas débarrassée de Magpie, maman. Elle est partie toute seule. Je suis sûre qu'elle va bien. Elle reviendra quand elle en aura envie.

— Pourquoi tu t'es débarrassée de ma chatte ? D'abord la chatte, et après moi. Je n'irai pas en maison de retraite !

Son corps était secoué de sanglots, son visage ridé luisait de larmes et de morve.

Voilà, c'était dit. Elle ne voulait pas y aller. J'avais évoqué l'idée d'une maison de retraite avec elle la veille au soir, et elle l'avait joué catatonique, ne semblant pas absorber une seule de mes paroles. Et maintenant, elle me donnait sa réponse, mais en différé. Ça n'allait pas être simple, si nos conversations fonctionnaient par cycles de vingt-quatre heures.

J'allais lui poser la main dans le dos quand elle recula comme si je l'avais brûlée. Comme si c'était moi qui pouvais mettre le feu en claquant des doigts.

— Je te jure que je ne me suis pas débarrassée de ta chatte, maman. Elle a dû se sauver quand la police est venue. Elle a eu peur, c'est tout. Elle reviendra.

— Pourquoi la police est venue ?

— Pour nous demander si nous n'avions rien entendu de bizarre la première nuit de mon séjour.

— Qu'est-ce qu'on aurait entendu ?

— Rien. On n'a rien entendu.

109

*Et tu n'es pas allée dans les bois cette nuit-là.
Je ne t'ai pas trouvée avec un couteau dans la
cuisine le lendemain matin.*

— Pourquoi ils demandaient ça ?

— Parce qu'une gamine a été agressée dans les
bois.

— Je sais. Elle est morte. Les pauvres Griswold.
Tu prenais le bus avec elle.

— Oui, maman, je prenais le bus avec elle.

— Mais c'était pas ta copine.

— Non, c'était pas ma copine.

— Où est ma minette ? Magpie ! Oh, Magpie !

En fait, les policiers étaient passés plus d'une fois
et, à chaque visite, leur ton s'était fait plus accusateur. Ils étaient venus le lendemain du meurtre pour
nous interroger, d'abord ma mère et moi, puis Opal,
Raven et Gabriel. Ils étaient revenus le surlende-
main pour me parler à moi seule, pour me ques-
tionner, après toutes ces années, sur mes relations
avec Del.

— Seigneur, dis-je, c'était il y a plus de trente
ans ! Vous n'avez pas assez à faire avec ce nouveau
meurtre ? C'est de l'histoire ancienne !

Les inspecteurs restèrent de marbre.

— Vous étiez amie avec Delores Griswold, mademoiselle Cypher ? me demanda l'un d'eux.

— Je la connaissais à peine. On prenait le bus
ensemble, j'ai essayé de jouer avec elle plusieurs fois,
mais elle était trop… bizarre.

— En quoi était-elle bizarre, mademoiselle
Cypher ? me demanda l'autre.

— Elle mentait. Elle était complètement mythomane.

Quelle ironie !

Lorsque j'étais à l'école d'infirmières, je travaillais la nuit comme aide-soignante dans un hôpital psychiatrique à la sortie d'Olympia, dans l'État de Washington. Jamie, mon mari, finissait son internat. Nous étions convenus que dès qu'il aurait terminé ses études, je reprendrais les miennes à temps complet. Au départ, j'avais pensé devenir médecin, pédiatre peut-être, mais un diplôme d'infirmière prendrait moins de temps, nous mettant moins dans la panade. Et un médecin dans la famille suffisait amplement, et les cardiologues gagnaient bien mieux leur vie que les pédiatres... Voilà ce que nous avions décidé.

Ou plutôt ce qu'il avait décidé, mais je l'avais tellement dans la peau que j'avais approuvé, en me disant que c'était la meilleure solution.

Est-ce que j'éprouve de l'amertume d'avoir abandonné ma carrière ? Seulement quand j'y pense trop. Les regrets ne servent à rien.

J'ai rencontré Jamie au cours de ma première année de médecine. Lui était en dernière année, un blond de Long Beach en jeans délavés et chemises hawaiiennes criardes. Ce qui m'a attirée chez lui, c'était la dichotomie : ce type superbe aux chemises délirantes et à la philosophie de surfer – relax, j'attends la vague suivante – était mine de rien le meilleur de sa classe, l'étudiant le plus appliqué que nombre de ses profs aient jamais vu. J'ai eu le coup de foudre la première fois qu'il m'a regardée dans les

111

yeux et dit de sa voix traînante : « Tout ce que tu voudras. » J'ai lâché la fac et nous nous sommes mariés à la mairie la veille de Noël, avant de nous installer dans un petit studio minable. Je me suis inscrite à mi-temps dans une école d'infirmières, tout en travaillant de nuit à l'hôpital pour payer les factures.

Voilà comment j'ai fait la connaissance d'une espèce de géante du nom de Patsy Marinelli. Les autres patientes l'avaient surnommée Mini. Elle mesurait un mètre quatre-vingt-dix et dépassait largement les cent cinquante kilos. Elle avait tiré une balle dans la tête de son mari, d'abord, puis dans la sienne. Lui était mort sur le coup, mais elle avait survécu, incroyablement, avec pour seules séquelles de vilaines cicatrices et une perte totale de la mémoire à court terme. Tout ce qui lui était arrivé jusqu'à l'instant où elle avait pressé la détente était clair dans son souvenir – les vacances lorsqu'elle était enfant avec sa nombreuse famille italienne, les béguins pour les stars de cinéma, les colos, le bac, le premier amour, la première cuite, la première trahison. Mais impossible de construire de nouveaux souvenirs. J'ai eu beau la voir tous les soirs pendant deux ans, elle se présentait toujours, parfois à plusieurs reprises au cours de la même nuit. Et neuf fois sur dix, après les présentations, elle me posait cette question :

— Dis-moi, c'est quoi la pire chose que tu aies faite ?

La première année, je ne lui répondais pas. Je haussais les épaules, je plaisantais parfois, puis je lui retournais la question, comme on m'avait appris à le faire avec les malades souffrant de dépression grave, d'hallucinations ou de psychoses. Inévitablement, Mini Marinelli me racontait qu'elle avait tué son mari. Elle éclatait alors en sanglots, tremblant de tous ses cent cinquante kilos – pas de la gelée frémissante, plutôt un volcan en éruption.

Au cours de ma seconde année à l'hôpital, Jamie m'avoua une liaison avec une autre interne, la première d'une longue série d'infidélités. Il prétendit que ma distance émotionnelle en était la cause. Nous n'arrêtions pas de nous disputer à propos de l'argent, du partage des tâches ménagères et des courses. Je me sentais au bout du rouleau. Mes cours étaient de plus en plus difficiles, l'argent se faisait de plus en plus rare, le travail, de plus en plus stressant, et je n'aspirais qu'à dormir, ce que Jamie prenait pour un affront personnel lorsque je repoussais ses rares avances.

Pourtant je ne le décourageais pas chaque fois, puisque je suis tombée enceinte peu de temps après avoir appris sa liaison (laquelle, me jura-t-il, était terminée, finie, *finita*, et de plus, purement physique). Je prenais la pilule mais, vu mon état d'épuisement, j'avais dû l'oublier une ou deux fois. J'avais peur de l'annoncer à Jamie, convaincue qu'il m'accuserait de le manipuler, ce que je faisais peut-être inconsciemment. Jamie ne croyait pas aux accidents. Moi non plus, d'ailleurs. Je ne pensais pas non plus que notre mariage bringuebalant pourrait survivre à l'annonce d'une grossesse. Et nous avions décidé (oui, nous, cette fois) d'essayer de redresser la barre. J'étais toujours amoureuse – chemises criardes, œil de velours et tout. Je suis comme ça, moi. Une fois que j'aime quelqu'un, pas moyen de décrocher.

C'était moi qui avais fait la bourde, donc il me semblait normal de la réparer toute seule.

Je me suis fait avorter un vendredi après-midi et j'ai passé le week-end au lit, tordue de douleur, à avaler du Motrin. J'ai dit à Jamie que j'avais la grippe.

Le lundi soir, lorsque je me traînai à l'hôpital, Mini se présenta et me posa la fameuse question. Nous étions seules dans sa chambre, au moment du coucher.

— Dis-moi, c'est quoi la pire chose que tu aies faite ?

Je ne pensais qu'à l'avortement. J'éprouvais un terrible besoin de le dire à quelqu'un, de partager ce fardeau. De toute façon, Mini aurait oublié mes confidences dans les cinq minutes.

Mais bien sûr, ce n'était pas la pire chose que j'aie faite.

— J'ai trahi ma meilleure amie et elle est morte.

Les mots sont sortis comme ça, sans que j'y aie pensé avant.

— Tu l'as tuée ? s'enquit Mini.

— Ce n'est pas moi qui l'ai étranglée, non, mais c'est en partie ma faute. Si la journée s'était passée différemment, je ne sais pas, peut-être...

— Tu crois qu'elle t'en veut ?

— Non, répondis-je en secouant la tête, puis me rappelant à qui je parlais, j'ajoutai : elle est morte, Patsy.

— Les morts peuvent nous en vouloir.

114

Je dévisageai cette femme gigantesque. Ses yeux, son nez et sa bouche semblaient trop petits pour sa face de lune.

— Les morts peuvent nous en vouloir, répéta-t-elle.

Je pris l'habitude de laisser une boîte de thon ouverte et une soucoupe de lait sous le porche devant la maison pour attirer Magpie. Le matin, le lait et le thon avaient disparu, mais pas de chatte en vue. La petite sournoise, elle se fichait de nous.

— Pourquoi tu t'es débarrassée de ma chatte ? répétait ma mère.

Parce qu'elle n'arrêtait pas de poser toujours les mêmes questions.

— D'abord la chatte, ensuite moi. Je n'irai pas en maison de retraite !

Puis elle se mettait à appeler Magpie à grands cris désespérés.

J'augmentai la dose de ses médicaments. Tantôt cela marchait, tantôt non.

Un soir, trois jours après sa disparition, alors que je disposais les friandises pour Magpie devant la porte d'entrée, je vis approcher un vieux pick-up Chevrolet bleu. En descendit un homme que je reconnus immédiatement, malgré son air dépenaillé.

Dans un vieux réflexe, je ressentis cette décharge électrique, sauf que cette fois elle sembla un peu plus dangereuse, comme toucher une ligne haute tension à terre pour voir s'il y a encore du courant.

— C'est donc vrai ce qu'on raconte, dit-il avec un sourire en sautant du pick-up, Kate est revenue.

115

— Comment vas-tu, Nicky ?

Il avança de quelques pas et je pus juger de mes propres yeux. Il semblait éméché. Il avait pris un peu de poids et avait grand besoin de se raser et de se faire couper les cheveux. Il avait une vingtaine d'années de plus que lors de notre dernière rencontre, mais toujours la même voix rocailleuse et la même démarche chaloupée. Ses cheveux étaient clairs et sa peau hâlée. Il portait une casquette de base-ball John Deere tachée de graisse, un tee-shirt propre, une veste de chasse à carreaux rouges et noirs, et un jean. Il me fit son sourire en coin et ma poitrine se gonfla. Comme je l'ai déjà dit, quand je suis amoureuse, c'est pour la vie. En dépit de tout. Dingue, je sais.

Je n'avais pas eu de relation sérieuse depuis que Jamie m'avait quittée pour une jeune chirurgienne cinq ans auparavant. Elle était enceinte, m'avait-il expliqué, et il voulait fonder une famille. Dégoûtée par l'ironie de la situation, j'avais craqué et révélé l'avortement.

« Tu aurais pu avoir une famille. Tu aurais un enfant de onze ans aujourd'hui. La voilà, ta putain de famille ! »

Je sus alors, en voyant son visage, que notre couple était condamné. Il ne me pardonnerait jamais. J'étais celle qui gâchait tout – moi, la distante, la cachottière, le monstre tueur d'enfant.

Elle garda le bébé, un garçon, Benjamin, mais leur histoire se termina un an plus tard. Lorsque je l'appris, je crus à tort que j'en éprouverais de la satisfaction. Je n'eus plus de contact avec Jamie, mais au fil des années les histoires de ses conquêtes successives me parvinrent aux oreilles. Mon ex-mari, l'éminent cardiologue, brisait pratiquement autant de cœurs qu'il en réparait.

Juste après mon divorce, j'eus quelques aventures, une série de coups d'un soir, le genre on baise et salut, qui me laissèrent un sentiment de vide et de déception, si bien que j'optai pour le rôle de vieille fille, repoussant toutes les avances, même celles des hommes les plus prometteurs. Mes collègues présument que je suis lesbienne, et je ne cherche pas à les détromper.

Debout sur le porche devant mon premier béguin – ou plutôt l'homme qu'était devenu mon premier béguin –, je ne pus m'empêcher de faire un rapide calcul mental – un peu plus de trois ans. Eh oui, trois ans que je n'avais pas fait l'amour. Je savais que c'était insensé de me sentir attirée par Nicky Griswold, mais c'était comme ça.

— Nicky !

J'eus envie de le prendre dans mes bras, mais je résistai. Je m'assis sur les marches et tapotai le plancher à côté de moi.

— Rose du Désert ! dit-il en pliant sa grande carcasse pour s'asseoir. Une cigarette ?

Je pris une Camel dans son paquet, même si ça faisait des années que je n'avais pas fumé.

— Un petit coup à boire ?

Il sortit une bouteille de Wild Turkey de sa poche de veste et en but une lampée.

— Et glou et glou !

Il me passa la bouteille.

— Oui, ça ne me ferait pas de mal.

117

J'avalai une longue gorgée, et la chaleur de l'alcool me traversa tout le corps. D'ordinaire, je préférais les manhattans, mais j'étais disposée à me passer du vermouth et de la cerise.

— Je suis contente de te voir, Nicky.

J'étais sincère. Après presque une semaine en compagnie de ma mère, j'avais grand besoin d'une présence familière et amicale. Quelqu'un d'autre que Raven et Gabriel, qui terminaient toujours leurs visites en me demandant où en étaient mes recherches. En fait, elles n'en étaient nulle part. Je leur disais que je n'avais pas fini d'évaluer la situation, mais ils se rendaient bien compte de la vérité : j'en étais au point mort et nous le savions tous. Les supplications de ma mère me touchaient.

— Alors, comment ça va ? demandai-je.

— Disons que je survis. Moi aussi, je suis content de te voir.

— Qu'est-ce que tu fais en ce moment ?

Je repensai à ce que j'avais entendu à l'épicerie – qu'on l'avait interrogé au sujet du meurtre, mais qu'il avait une rixe de bar comme alibi.

— Des trucs par-ci par-là. Je travaille comme mécano à temps partiel chez Chuck, je fais des petites réparations à côté. L'été je tonds des pelouses, en hiver je laboure. Je prends tout ce qui me permet de payer les factures. J'habite près des Meadows, rien de transcendant, juste une caravane, mais c'est à moi et c'est chez moi. Et toi ? demanda-t-il en souriant.

— Il n'y a pas grand-chose à dire. Je vis toujours à Seattle. Je suis infirmière dans une école.

— Il paraît que tu t'es mariée.

— Ça fait cinq ans que j'ai divorcé.

Il hocha la tête.

— Des enfants ?

— Non, dis-je en détournant le regard. Pas d'enfants.

Il se tut un instant, puis désigna la maison.

— Comment va ta mère ?

— Pas terrible.

— On dit qu'elle va aller dans une maison de retraite.

— Je ne sais pas encore. C'est sans doute là qu'elle serait le mieux, mais je ne sais pas si c'est une bonne chose. Elle est vraiment contre. C'est comme si sa vie dépendait de moi maintenant, et il me reste à peine un peu plus de deux semaines pour prendre la bonne décision. Après, mon congé se termine et je dois repartir à Seattle.

— Tu feras ce qui est bien pour elle.

Nous restâmes silencieux encore une minute, à fumer, à nous passer la bouteille, et à écouter les murmures de papier des dernières feuilles rescapées.

— Tu es au courant pour la gamine qu'on a trouvée dans les bois ?

Je pris une autre longue gorgée de Wild Turkey et m'essuyai la bouche avec le dos de la main.

— Ouais, quelle histoire, dis donc ! D'après ce que j'ai compris, c'est arrivé de l'autre côté de la colline, près de l'ancien campement de chasse ?

— Il existe toujours.

— Non ?

Ma surprise sembla plaire à Nicky qui hocha la tête en souriant.

119

— J'aurais juré qu'il était en ruine depuis long-temps, repris-je.

— Non, il plie mais ne rompt pas. Un peu comme moi, fit-il avec un clin d'œil.

Je rougis et détournai le regard.

— Incroyable !

C'était peut-être le bourbon, mais je me suis surprise à me souvenir que, lorsque les choses ont commencé à aller mal avec Jamie, je me demandais ce que ça aurait donné si j'avais épousé Nicky. Non qu'il ait jamais demandé. Ni que nous nous soyons fréquentés à l'âge adulte. Mais dans mon esprit, il était devenu cet homme idéalisé, les pieds sur terre, un peu brut de décoffrage, quelqu'un qui ne m'aurait jamais fait souffrir.

Nicky se tut un moment et prit une bonne lampée de Wild Turkey avant de poursuivre.

— Kate, qu'est-ce que tu sais sur cette gamine assassinée ?

— Pas grand-chose. Seulement ce que j'ai lu dans le journal : elle avait treize ans, elle s'appelait Victoria Miller, ses amis l'appelaient Tori. Opal et les autres n'ont rien entendu.

— Sa mère, c'est Ellie Bushey, elle a épousé un des fils Miller, John. Son mari et elle ont repris le magasin d'antiquités après que M. Miller a eu son attaque. Ça faisait trop de travail pour la vieille Mme Miller.

— Ellie ! Voilà quelqu'un à qui je n'ai pas pensé depuis longtemps.

Un nœud se forma dans ma gorge, un nœud épais et douloureux en forme de *E*, pour la petite Ellie

120

Bushey et toutes les promesses contenues dans son statut d'élève populaire.

— Moi, je me souvenais de son nom, continua Nicky, en allumant une autre cigarette. Je me rappelais qu'il s'était passé quelque chose entre vous et Del. Tout comme je me suis souvenu d'Artie Paris.

Bon sang, encore un nom que j'aurais voulu oublier. Nicky était en train de sortir tous les squelettes du placard.

— Tu t'es souvenu de quoi ?

— Qu'il était vraiment odieux avec Del. Que c'est lui, d'après ce que tout le monde dit, qui a maintenu Del à terre le dernier jour d'école, lui qui se moquait, qui chantait ces trucs débiles de la Patate.

Non, pensai-je, *on chantait tous*. Le nœud dans ma gorge se resserra.

— Oui, c'était un vrai charmeur, dis-je tout haut. Il doit l'être encore.

— C'est bien le hic, Kate. Il ne l'est plus. Il est mort. Il y a quelques mois.

Je laissai cette nouvelle faire son chemin. C'est toujours perturbant d'apprendre la mort de quelqu'un qu'on connaît, et quand il s'agit de quelqu'un de son âge, cela semble encore plus personnel, même si on ne l'a jamais aimé. Je me demandais de quoi il était mort. Crise cardiaque ? Accident de voiture ? Cirrhose du foie ? Peu importait, de toute façon, pour moi c'était un bon débarras. Waouh, le retour au bercail me transformait en vraie petite sainte !

— Ah bon ? J'aimerais pouvoir dire que je suis désolée.

— Tu ne veux pas savoir comment il est mort ?

Je haussai les épaules.

— Il paraît qu'il s'est étouffé avec une pomme de terre. Un morceau de patate crue.

J'essayai en vain de réprimer un rire. Ça ressemblait fort à la dernière histoire de la Patate. Légende urbaine en devenir.

— Et il y a autre chose, Kate. Il était tout seul chez lui. Sa femme travaillait de nuit à l'usine de chaussures.

— Oui, oui.

Je levai les yeux au ciel, ayant peine à croire que Nicky puisse tomber dans ce panneau.

— Écoute-moi, tu veux ?

Il me jeta un regard impatient. Satisfait de mon silence, il se pencha en avant pour continuer, sur le ton de la confidence.

— Il n'y avait pas de pommes de terre chez eux. Pas une seule. Artie détestait ça. Il interdisait à sa femme d'en acheter. Mais quand le coroner a pratiqué l'autopsie, il a trouvé un morceau de pomme de terre crue dans l'œsophage d'Artie.

Je ris à nouveau.

— Et j'imagine que tu as lu le rapport d'autopsie ? Ou mieux, tu en as parlé toi-même avec le coroner ?

Nicky rougit un peu.

— Nicky, il a sans doute eu une crise cardiaque. Mais ça ne fait pas une bonne histoire, alors, petit à petit, on a enjolivé les choses. C'est comme ça que ça se passe dans cette ville. Même la rumeur la plus folle devient un fait quand elle est racontée pour la troisième fois.

— Non, ce n'était pas une crise cardiaque, affirma Nicky. Il s'est étouffé. Même sa femme l'a dit. On a conclu à un accident, mais il y a beaucoup de gens qui n'en pensent pas moins. Dont moi. Ce salopard a été assassiné.

— Et par qui, s'il te plaît ?

— Oh, allez, Kate, tu veux que je te fasse un dessin ? D'abord Artie avec la pomme de terre, maintenant la fille d'Ellie dans les bois, tuée exactement de la même façon que Del. C'est elle, Kate. C'est forcément elle.

Je ne suivais pas. Ou peut-être ne voulais-je pas suivre. Pas sur ce chemin, non merci. Pas moi.

— De quoi tu parles, Nicky ? Qui ça, elle ?

— Mais Del, bon sang !

Je me tus un instant. Je pensai aux histoires entendues durant toute mon enfance, à la façon dont elles s'embrouillaient un peu plus chaque année. Del était devenue un mythe. Depuis son assassinat, trois générations d'enfants avaient grandi à New Canaan, incapables de dire la date de la fondation de la ville, ni le nom de la tribu d'Amérindiens installée la première dans la vallée, mais ils connaissaient toutes les histoires de la Patate. Les comptines pour sauter à la corde. Les moqueries. Pendant les soirées pyjama, les enfants se tenaient devant un miroir dans une pièce sombre, en scandant « la Patate, la Patate » jusqu'à ce qu'elle apparaisse, et qu'ils se précipitent en hurlant vers la lumière.

Del aurait adoré, bien sûr. Elle se serait délectée de ce pouvoir d'inspirer la peur. Mais de là à suggérer que ces histoires étaient véridiques ! Qu'il

123

existait réellement une Patate – Del revenue d'entre les morts – qui hantait les bois, cherchait à se venger, assassinait pour de bon. Est-ce qu'ils croyaient aussi au Cavalier sans tête ?

Passe encore qu'une fillette comme Opal entretienne de telles idées, mais un homme de son âge...

Même si le Nicky que j'avais devant moi n'était plus le grand et beau garçon de mon enfance, il ne semblait pas moins sincère. Je fus frappée de voir à quel point le chagrin et la culpabilité pesaient sur lui. Cela aurait presque été une consolation de croire que sa petite sœur, si maligne et si courageuse, avait bravé même la mort. Mais pas pour moi. Je ne m'embarquerais pas là-dedans. Le seul fantôme en qui je croyais était le gentil Casper, et je n'avais pas l'intention de changer.

— Nicky, commençai-je avec mon meilleur sourire d'ex-aide-soignante psy, posant doucement ma main sur son genou. Je crois que le Wild Turkey te monte à la tête. Halloween, c'était il y a dix jours.

Il secoua la tête, agacé.

— Je sais que ça a l'air dingue, mais réfléchis une minute. Hein, si j'avais raison ? Si c'est bien Del, elle peut s'en prendre à nous aussi. Je t'assure, réfléchis. Tu te rappelles comme elle était en colère la veille de sa mort ? Si elle se balade à la recherche des gens après qui elle est furax, on est sur la liste.

Il engloutit le reste de sa bouteille, baissa les yeux vers le plancher irrégulier.

— T'as intérêt à croire qu'on est sur la liste.

La porte d'entrée s'ouvrit derrière nous, et nous tournâmes la tête en même temps, surpris. Je retirai prestement ma main de son genou, comme une gamine prise en faute.

— Qui êtes-vous ? demanda ma mère, en se penchant pour voir le visage de Nicky dans la faible lumière du soir.

Elle me regarda, l'air paniquée.

— Qui est-ce ?

Elle était couverte de traînées de peinture acrylique de couleurs vives. Elle en avait frotté ses vêtements et son visage. Ses pansements ressemblaient à des arcs-en-ciel. Elle m'avait bien dit qu'elle allait travailler sur un tableau, mais j'avais présumé qu'elle oublierait cette idée avant de la mettre à exécution. Raven m'avait dit que ça faisait des mois que ma mère n'avait pas peint. Et vu la quantité de médicaments que je lui avais fait ingurgiter dans la journée, je ne m'attendais pas à la voir debout, encore moins à ce qu'elle travaille à son nouveau chef-d'œuvre.

— Je suis Nicky Griswold, madame.

— Tu habites au pied de la colline, répondit-elle avec un geste de ses mains bandées.

— Plus maintenant.

— Je suis désolée pour ta sœur. Pauvre petite ! Quand est l'enterrement ?

Le regard de Nicky alla de ma mère à moi. À présent c'était lui qui avait l'air paniqué.

— Euh, c'est fait, madame.

— Elle est en paix, alors ?

— J'imagine, marmonna Nicky.

— C'est bien. Il faut que les morts soient en paix.

— Oui, fit-il en se levant. Ça m'a fait plaisir de vous voir, mesdames. Je repasserai bientôt.

Nous le regardâmes monter dans son pick-up et démarrer. Il ouvrit sa vitre et me lança :

— Pense à ce que je t'ai dit, Kate. Penses-y. C'est tout ce que je te demande.

— Qui était-ce ? demanda ma mère tandis que nous regardions les feux arrière s'éloigner.

— Un ami, maman. Alors, qu'est-ce que tu as fait dans ton atelier ?

Elle me jeta un regard vide.

— On va aller voir sur quoi tu as travaillé, d'accord ? C'est une autre nature morte ?

Je me levai et nous allâmes ensemble dans l'atelier où je dormais. Sur le chevalet trônait une grande toile de quatre-vingt-dix centimètres sur cent vingt, couverte de traits colorés, dans les rouges, jaunes et orange. Et quelques touches de bleu et de violet.

— Quelles jolies couleurs !

Je me rendis compte que c'est ce qu'une mère aurait dit à un enfant de quatre ans. Sa maladie nous plaçait dans un cas spectaculaire de renversement des rôles.

— C'est l'incendie, m'expliqua-t-elle. L'incendie qui a provoqué mon attaque.

— Tu n'as pas eu d'attaque, maman.

Je me laissai aller à toucher son épaule maigre, geste de réconfort qui sembla passer inaperçu. Elle s'avança vers son tableau.

— Elle est dedans.

Seigneur ! Encore !

— Qui ça ?

Je m'approchai aussi, juste derrière son corps frêle.

— Tu ne la vois pas ?

126

J'examinai la toile et ne vis que d'épaisses traînées de peinture.

— Non, maman, je ne la vois pas. Viens, on va se débarbouiller. C'est presque l'heure de dîner.

— J'ai pas faim.

— Il faut que tu manges.

— Où est Magpie ? demanda-t-elle en tournant frénétiquement la tête de tous côtés, soudain désespérée. Qu'est-ce que tu as fait de ma minette ?

Après dîner, quand j'eus donné à maman ses somnifères et que je l'eus mise au lit, Opal passa me voir.

— J'ai aperçu le pick-up de Nicky Griswold tout à l'heure.

— Il est passé nous saluer, lui dis-je, un peu trop sur la défensive.

Merde, voilà que je me sentais obligée de me justifier devant une gamine de douze ans. Comment en étais-je arrivée là ? Et pourquoi, depuis quelque temps, étais-je à cran chaque fois que je voyais Opal ? Sans doute à cause de toutes ses questions sur Del, qui me ramenaient en arrière, me rappelaient un chapitre entier de ma vie que je ne voulais plus jamais ouvrir. Sans parler du fait que parfois, quand je regardais Opal, j'étais sûre de voir Del. Comme si, par le biais de son obsession, Opal réincarnait la morte. Dingue, d'accord, mais c'est ce que je ressentais.

— Alors, ce biplan, ça avance ?

— Super ! J'ai fini le fuselage, et c'est la partie la plus difficile.

Son regard erra un instant dans la pièce, puis, pensivement, elle en vint à la vraie raison de sa visite :

— Je me demandais si Del pouvait vouloir s'en prendre à moi à cause de quelque chose en rapport avec mes grands-parents. S'ils n'avaient pas eu à voir avec son assassinat, d'une façon ou d'une autre.

Je ne pus m'empêcher de rire. Un rire nerveux, mais sincère.

— Doe ? Elle la connaissait à peine. Et c'était la personne la plus pacifique que j'aie jamais connue. Elle pleurait si elle heurtait un ver de terre avec sa bêche. Quant à ton grand-père, eh bien, tu as peut-être entendu dire qu'il avait été soupçonné, mais qu'on l'avait innocenté.

— Peut-être qu'on n'aurait pas dû.

— Je ne crois pas. Ce n'était pas un saint, mais jamais il n'aurait fait de mal à quelqu'un de cette façon. Il avait bon cœur. Et la prétendue preuve qui le reliait à elle n'avait rien à voir. Tout cela n'était qu'un immense malentendu.

— Comment tu le sais ?

Parce que c'était moi la cause de ce malentendu.

— Je le sais, c'est tout. Crois-moi.

Opal s'en alla, insatisfaite, après m'avoir posé quelques questions plutôt crues au sujet du meurtre de Del, auxquelles je ne jugeai pas bon de répondre. Elle faisait déjà des cauchemars, pas la peine d'en rajouter. Elle avait eu sa dose d'horreur en trouvant son amie morte. Et sa description correspondait exactement à la scène à laquelle Nicky avait été confronté l'après-midi où il avait trouvé Del. Mais Opal n'avait pas besoin de l'entendre.

Après son départ, allongée sur le lit, je réfléchis à toute cette histoire. J'avais beau faire, cela me tracassait que Tori ait porté le blouson d'Opal. Et si Opal avait raison ? Pas pour cette histoire de fantôme, mais si c'était vrai que l'assassin – tout ce qu'il y a de plus humain, j'en étais sûre – en avait vraiment après elle ?

Mais qui diable pourrait avoir une raison de s'en prendre à Opal ?

Plus tard dans la nuit, je me réveillai en entendant ma mère parler. Je pensai d'abord que la chatte était revenue et que ma mère lui racontait tout ce qu'il s'était passé pendant son absence. Il faut dire que je ne parvenais toujours pas à l'enfermer pour la nuit. Chaque soir j'essayais, debout devant la porte de sa chambre, la main sur le cadenas de laiton, sans pouvoir m'y résoudre. Cela me semblait mal, et je compris que je ne pouvais pas devenir la geôlière de ma mère. Alors je dormais la porte ouverte, pensant que je l'entendrais si elle se levait. Que j'avais le sommeil suffisamment léger pour la rattraper avant qu'elle ne sorte de la maison.

Je me traînai jusque dans le salon pour trouver ma mère au téléphone. La seule lumière venait de la lune à travers les fenêtres pleines de givre. Le feu s'était éteint et la maison était glacée.

— À qui tu parles, maman ?

Elle était en larmes. Elle lâcha le combiné qui rebondit sur son fil en cognant le sol et le mur. Je le ramassai. Le plastique était tiède.

— Allô ? dis-je, un œil sur ma mère qui s'était accroupie par terre en pleurant. Qui est à l'appareil ?

— Les services d'urgence. Votre nom, je vous prie ?

Bon sang ! Ça ne s'arrêterait jamais ?

— Oh, mon Dieu, je suis désolée ! Je m'appelle Kate Cypher. Vous étiez avec ma mère. Elle a la maladie d'Alzheimer. Je suis vraiment désolée.

— Elle dit que vous avez tué sa chatte.

Voilà donc ce qui m'attendait. Je soupirai, sentant six jours de frustration remonter à la surface.

— Je suis désolée. Je vous l'ai dit, elle est malade.

— Elle dit que vous connaissez une jeune fille qui a été assassinée.

Ce fut la goutte d'eau de trop. Je suis du genre calme et patient. En général, je ne perds pas mon sang-froid, surtout avec les personnes représentant l'autorité, mais ma jolie petite façade avait commencé à se fissurer dès le jour de mon arrivée.

— Ah vraiment ? Vous m'écoutez, ou quoi ? Elle-a-la-ma-la-die-d'Al-zhei-mer ! Elle parle de quelque chose qui s'est passé quand j'étais petite. Elle ne sait pas en quelle année on est, ni comment faire des pancakes, ni qui est mort ou pas, d'accord ? Laissez tomber ! Vous pouvez pas nous lâcher ? Merde !

— Madame, je…

Je raccrochai au nez de la personne posée et raisonnable à l'autre bout du fil et remis ma mère au lit. Puis, lorsqu'elle se fut rendormie, je me forçai à enfoncer le crochet dans l'encoche du cadenas, attendis le déclic, et vérifiai qu'il était bien fermé, par précaution.

7

— T'es copine avec la Patate ?

Je dévisageai la fille au-dessous de moi sur la cage à grimper, Ellie Bushey. Son nez retroussé était couvert de taches de son et elle sentait la fraise.

Je ne répondis pas. Ellie m'avait suivie partout pendant toute la récréation, son acolyte et presque sosie, Samantha, sur ses talons. Au bout d'un moment, lassée, Samantha s'était jointe à une partie de marelle en bordure de la cour.

— Je te demande ça parce que Travis dit qu'il vous a vues en train de parler à l'arrêt de bus ce matin. Et ce n'était pas la première fois, ajouta-t-elle en me regardant, les yeux plissés.

Je me sentis rougir. Si Ellie était au courant, la nouvelle se répandrait vite, et à la fin de la journée tout le monde connaîtrait mon secret. Et j'aurais vite droit moi aussi à ma petite chanson.

— C'est pas parce que je parle à quelqu'un que je suis sa copine. D'ailleurs, on est bien en train de parler, là ? Est-ce que je suis ta copine ?

131

Ellie fronça ses traits pâles en cherchant une réponse.

— Tu pourrais. J'en ai des tas.

Elle m'examina, comme si elle vérifiait si j'étais du matériau de copine potentielle. Moi, la hippie bizarroïde ! Je savais que je n'avais pas une chance, mais je me laissai aller quand même à l'imaginer. Ellie et moi sur la cage à grimper. Déjeunant ensemble à la cantine. Nous passant des petits mots en classe.

— J'ai déjà une meilleure copine, Samantha, donc tu ne pourrais pas être ma meilleure copine, poursuivit-elle.

C'était pour me titiller. Pour jouer. Je marchai un instant, puis tout s'effondra.

— Mais je pourrais jamais être copine avec quelqu'un qui aime la Patate. Jamais de la vie.

Elle secoua la tête puis se détourna de moi pour souligner ses paroles.

— Peut-être que je l'aime pas vraiment. Peut-être que je fais juste semblant, suggérai-je en dégringolant de la cage, prête à tout pour qu'elle se retourne.

Ça réussit. Elle fit volte-face et me regarda, les yeux rétrécis.

— Pourquoi tu ferais ça ?

— Pour espionner, lui dis-je, à nouveau sur la terre ferme, réfléchissant à toute vitesse. Pour avoir des renseignements.

— Quel genre de renseignements ? demanda Ellie d'un ton sceptique.

— Des trucs super. Des secrets sur la Patate. Que je suis la seule à savoir.

— Quoi par exemple ?

— Il y en a plein.

— Allez, juste un !

— OK. Alors, elle a des cochons, tu vois ? Eh ben, un des cochons a mangé trois de ses bébés, il a laissé que les queues. Tu sais ce qui est arrivé aux trois queues ? Del les a gardées, dans un bocal rempli d'alcool, dans sa chambre. Elle les regarde tous les soirs avant de s'endormir. Et c'est la première chose qu'elle voit le matin en se levant.

— Oh, mon Dieu ! fit Ellie en riant. C'est dégoûtant ! Mais pourquoi elle a fait ça ?

Je haussai les épaules.

— Qui sait pourquoi elle fait les choses ? Je dis pas que je comprends. Je dis juste que c'est le genre de trucs que je sais sur elle. Entre autres.

— Il faut que je le raconte à Sam. T'en as encore, des histoires comme ça ?

— Plein.

— Toutes aussi dégueu ?

— Il y en a qui sont dégueu. D'autres qui sont juste bizarres.

La cloche sonna la fin de la récré.

— Tu m'en diras plus demain, dit-elle, et je souris.

C'est ainsi que je compris que l'amitié de Del pouvait m'acheter celle d'Ellie et de Sam, qui avaient déjà un grand cercle d'amis auquel je pensais m'intégrer, comme un maillon manquant dans la chaîne. Et je me dis que je n'aurais pas forcément à trahir Del. Je pourrais inventer tout ce que je dirais aux autres. Je lâcherais ici et là quelques éléments de vérité, mais la plupart du temps je leur raconterais ce qu'à mon avis ils voulaient vraiment entendre : les détails bien dégueu et bien bizarres de la vie de la Patate.

Lorsque je vis Del dans le champ ce jour-là après l'école, Nicky était avec elle, sa carabine en bandoulière. Il ne chercha pas mon regard. Les petits pois avaient poussé et montaient le long du treillage métallique, tiges vert pâle s'accrochant de toutes leurs forces. Le corbeau empestait, les plumes graisseuses et dépenaillées.

— Adjointe Rose du Désert, me salua Del, l'air sérieux. Aujourd'hui nous allons à la chasse.

Je leur emboîtai le pas et nous commençâmes à gravir la colline, en écoutant les oiseaux chanter autour de nous. Le *di-di-di* d'un vol de mésanges à tête noire, le trille solitaire d'une grive ermite. C'était une journée idéale de fin de printemps. Entre le soleil de l'après-midi et notre marche rapide, nous fûmes bientôt en sueur.

— Qu'est-ce qu'on chasse ? demandai-je, rompant le silence.

— Le tigre, l'écureuil, tout ce qu'on trouvera, répondit Nicky, me souriant enfin.

Del surprit son sourire et il détourna le regard.

— Traîtres, siffla-t-elle, mais si vite que je distinguai à peine le mot.

Maîtres, aurait-elle pu dire. *Prêtres. P't-ê'. Têtes. Bêtes.* Nous allions chasser des bêtes sauvages.

De nouveau, nous nous tûmes. Nous écrasions le tapis de feuilles et de brindilles sur le sentier. Nicky ajusta sa carabine, la crosse sur l'épaule, le regard glissant le long du canon, à la recherche d'une cible. Nous nous tournâmes vers la cabane penchée. Nicky visa un écureuil rouge qui babillait dans un arbre. Il pressa la détente et le rata. L'écureuil sauta à terre et décampa en nous lançant un regard noir.

— Saloperie ! s'exclama Nicky en se passant le dos de la main sur les yeux pour essuyer la sueur.

— Bien essayé, lui dis-je.

Je me rendis compte au même moment de ma bêtise. Je regardai Del en coin juste comme elle levait les yeux au ciel. La petite cabane était en vue, étrange îlot penché dans une mer de fougères.

Il faisait plus frais à l'intérieur, mais l'odeur de moisi et de souris me prit à la gorge. Del grimpa à l'échelle la première, puis moi, suivie de Nicky et sa carabine. Del alluma trois cigarettes à la fois, aspirant de toutes ses forces, et nous passa les nôtres. Nicky posa la carabine sur le lit pour ramasser un magazine cochon. Il le feuilleta à toute vitesse, tournant les pages comme si c'était une revue économique ennuyeuse. J'essayais de regarder les photos sans avoir l'air intéressée, comme lui. J'étais si concentrée sur le magazine, sur Nicky, que je ne faisais même pas attention à Del. Elle me pointa la carabine sur le front avant que je ne me rende compte qu'elle avait bougé. Elle avança l'arme si près que la bouche métallique du canon appuya sur mon crâne. Je retins ma respiration. Ne bougeai pas un muscle.

— Qu'est-ce que tu fous ? demanda Nicky, en levant les yeux de son magazine, d'une voix plus irritée qu'effrayée.

— C'est l'heure de l'interrogatoire. Rose du Désert, qu'est-ce que tu fabriquais à parler avec Ellie aujourd'hui à l'école ?

— On parlait, c'est tout.

J'expirai en murmurant ma réponse, avant de prendre une longue goulée d'air.

135

— De quoi ?

— De rien.

Je gardai les yeux baissés sur le vieux matelas, sans oser lever la tête.

— Ouais, c'est ça. On peut pas parler de rien.

— C'était rien, rien d'important. Je me souviens même pas. Je crois qu'elle voulait essayer d'être ma copine ou quelque chose comme ça. On s'en fout.

Je sentais le canon froid et dur en plein milieu de mon front. Je savais que ce n'était qu'une arme à air comprimé, que ça ne me tuerait pas, mais ça ferait mal et me laisserait une sacrée marque. J'étais persuadée que Del presserait la détente si je ne disais pas ce qu'il fallait.

— Tu es mon adjointe à moi ! Mon amie ! Tu ne jures allégeance qu'à moi !

Elle parlait d'une voix frénétique, si aiguë et perçante que j'en eus mal aux dents.

Je levai les yeux, fis un signe de tête circonspect.

— Dis-le ! Dis que tu ne jures allégeance qu'à moi !

— Je ne jure allégeance qu'à toi.

— Et tu feras tout ce que je te dirai !

— Tout ce que tu diras.

— C'est moi le shérif de cette ville pourrie !

— Tu es le shérif.

— Et je suis ta meilleure amie, ajouta Del, d'un ton apaisé, plus calme.

— Tu es ma meilleure amie.

— Pour toujours.

— Pour toujours, promis-je.

136

— OK, vous deux, intervint Nicky, qui se pencha pour éloigner le canon de la carabine de ma tête et le diriger vers le sol. Embrassez-vous et faites la paix.

— Les filles s'embrassent pas entre elles, lui rétorqua Del.

— Celles-là, si, répondit Nicky en désignant son magazine. Bon, serrez-vous la main, alors.

Del posa son arme et me tendit la main. Tandis que nous nous serrions la main, son rictus se transforma en sourire de satisfaction. Puis elle se pencha et déposa un baiser sur mon front, juste à l'endroit où devait se trouver la marque de la carabine. Ses lèvres étaient fraîches et moites, son souffle comme un vent chaud dans une grotte humide.

— Allez, on va à la chasse ! lança Nicky.

Il ramassa la carabine et la posa sur ses genoux pendant qu'il écrasait son mégot dans la boîte de thon cabossée.

Nous passâmes une heure à arpenter les bois sur la colline, à chasser le tigre, le crocodile et le gnou. À chaque nouveau bruit, Del nous annonçait un animal improbable, hippopotame, sanglier, python.

Tout en scrutant les bois à la recherche de proies, nous discutions des filles de l'école, et de leur bêtise. Del dit qu'elles mériteraient d'être remises à leur place.

— Ellie et Sam pensent que leur merde sent la rose.

— Peut-être qu'on peut leur rabattre le caquet, dis-je.

— Comment ?

— Je sais pas trop encore. Mais j'ai une petite idée.

C'était vrai. Un plan que j'élaborai vite fait bien fait.

— Je pourrais les espionner. Tu sais, je ferais semblant d'être leur copine et je gagnerais leur confiance. Comme ça j'apprendrais des trucs pas clairs. On pourrait s'en servir contre elles.

— Quel genre de trucs ? demanda Nicky, intéressé par la chute de ces gamines qu'il ne connaissait même pas.

— Je sais pas. Mais tout le monde a des secrets, non ?

— Même les filles comme elles ?

Del leva ses fins sourcils, tandis que sa main droite voletait sans qu'elle s'en rende compte au-dessus de son cœur, jouant avec le tissu de son chemisier sale, protégeant son propre secret.

— C'est un bon moyen de le savoir.

— OK. Adjointe, voici mes ordres : tu espionneras le camp ennemi. Mais tu devras tout me raconter. Absolument tout. Sinon, tu seras jugée pour trahison.

À ces mots, elle pointa ses doigts sur ma poitrine, comme un pistolet. Puis, en éclatant de rire, elle tira.

J'acceptai les conditions de Del et me félicitai en silence de mes talents de manipulatrice. À présent j'avais les mains libres pour être copine et avec Del, et avec les autres filles. Le plan parfait.

Après beaucoup de jérémiades, Del obtint de Nicky qu'il lui redonne la carabine. Elle dit qu'elle se sentait en veine et il finit par céder, non seulement parce qu'il en avait assez qu'elle le tanne, mais aussi

138

parce qu'elle le menaça encore de le dénoncer, de révéler son grand secret au monde entier.

À environ dix pas devant nous, Del visait la cime des arbres. Nicky se tenait tout près de moi et me prit la main. Nous marchâmes ainsi quelques minutes, Del concentrée sur la chasse, Nicky me tenant la main bien serrée, comme s'il ne devait plus jamais la lâcher.

Soudain, Del tira sur quelque chose dans un sapin et poussa un cri de joie. Nicky me lâcha la main et nous courûmes voir ce qu'elle avait touché. C'est seulement lorsque sa proie atteignit le sol que je vis qu'il s'agissait d'une tourterelle triste au plumage d'un gris lustré et à la queue pointue. Elle vivait encore et battait des ailes, se déplaçant en cercles affolés tandis que nous nous approchions.

Je ne sais pas combien de temps nous sommes restés en silence à regarder cette pauvre tourterelle se débattre par terre dans la forêt. Tout ce que je peux dire, c'est que ça a semblé durer des heures, et lorsque l'oiseau a abandonné la lutte, les ailes tordues sur les aiguilles de pin et les feuilles d'érable, Del s'est agenouillée pour le toucher. Elle l'a caressé tendrement et l'a ramassé comme un objet très fragile. Elle l'a retourné et a cherché du bout des doigts l'endroit où le plomb était entré – un petit trou sanglant dans la poitrine couleur mastic. Elle porta l'oiseau mort tout le long du chemin du retour et ne le lâcha pas, même une fois arrivée, le nichant dans les plis souples de son chemisier avant de rentrer sans dire au revoir. Nicky la suivait solennellement, et aucune autre parole ne fut prononcée.

8

14 novembre 2002

Cette nuit-là, après que Nicky eut essayé de me persuader que le fantôme assassinait les gens et que je me fus décidée à enfermer ma propre mère, je rêvai de Patsy Marinelli. « *Les morts peuvent nous en vouloir*, ne cessait-elle de dire. *Dis-moi, quelle est la pire chose que tu aies jamais faite ?* »

Lorsque je me réveillai, le jour se levait à peine et j'eus à nouveau la sensation que quelqu'un m'avait observée pendant que je dormais. Je comptai jusqu'à trois avant de regarder derrière moi – rien. Puis j'examinai le tableau de l'incendie sur le chevalet. Il faisait trop sombre pour distinguer les détails, mais comme j'étudiais les contrastes d'ombre et de lumière, j'aperçus, en haut et à gauche de la toile, deux yeux qui me retournèrent mon regard, attentifs. Et, dans mon état de demi-sommeil, il me sembla qu'ils se déplaçaient. M'observaient à la dérobée.

J'en tombai presque de mon lit ! J'allumai la lampe à pétrole en tremblant et la portai devant la toile, pour me rendre compte, évidemment, qu'il n'y avait ni yeux ni visage. Rien que des traits hardis de couleurs vives, un peu comme de la peinture au doigt faite par un enfant. Les ridicules histoires de fantômes de Nicky avaient fini par me monter à la tête.

J'enfilai mes pantoufles et cherchai ma montre, certaine de l'avoir posée sur la caisse près de mon lit. Mais elle ne s'y trouvait pas. Je me dis que c'était peut-être Magpie qui l'avait fait tomber, puis me rappelai que la chatte s'était fait la belle. Je farfouillai par terre, en vain.

— Merde, marmonnai-je.

J'éprouve une espèce d'attachement anormal pour cette montre de plongée sophistiquée, avec cadran digital lumineux, sonnerie, chronomètre, minuteur, et toutes sortes d'autres fonctions. C'était celle de Jamie, mais j'en ai hérité lorsqu'il s'est acheté sa première Rolex. Je n'ai jamais fait de plongée mais j'aime bien prendre une douche ou un bain sans l'enlever, en sachant que, si je voulais, je pourrais aller plonger et continuer à suivre la marche des heures, des minutes et des secondes. Et, aussi pathétique que ça puisse paraître, j'aime l'idée qu'elle appartenait à Jamie. Je me suis débarrassée de mon alliance il y a longtemps, mais la montre est restée.

Après ces vaines recherches, je me traînai jusqu'à la cuisine, la lampe se balançant au bout de mon bras, mon poignet fragile et nu sans sa vieille montre bringuebalante. Il régnait un froid glacial. Pleine d'ardeur, j'allumai le feu, remplis d'eau la cafetière en émail bleu et plaçai une mesure de café moulu dans le réceptacle avant de la mettre sur le feu. Je déverrouillai la chambre de ma mère, et revins à la cuisine. C'est alors que je l'entendis. Un miaulement, assourdi mais insistant, qui venait de dehors.

— Magpie ?

Je tins la porte d'entrée ouverte et attendis, pleine d'espoir. Pas de chat. Avais-je rêvé ? Certainement pas.

Il n'y avait que la surprise de la neige fraîche, la première de l'année. Je rentrai, passai un manteau et des bottes par-dessus mon pyjama, et sortis dans le matin blanc. Deux bons centimètres de neige molle et vaporeuse recouvraient les marches et le sol. Les bols de lait et de thon étaient vides, et j'étais sûre que la chatte se trouvait tout près. Une image séduisante se construisit dans mon esprit : moi déposant doucement la chatte à côté de ma mère endormie, son pur ravissement en se réveillant lorsqu'elle découvrait dans son lit une Magpie certes trempée, mais saine et sauve. Super-Kate. Mais je ne vis aucune trace de chat menant aux bols vides. Ce que je vis dans la faible lumière de l'aube ressemblait étrangement à des empreintes de pas. Petites. Comme des bottes d'enfant.

Mon esprit encore ensommeillé essayait de donner un sens à ce que je voyais. Un enfant sauvage vivant dans les bois, avec une prédilection pour le thon et le lait ?

Les traces menaient aux bols, puis redescendaient les marches avant de repartir par le même chemin – dans les bois après avoir traversé l'allée. J'inspirai profondément l'air froid et neigeux et commençai à marcher à côté des traces, me laissant conduire tout droit au sentier qui descendait la colline. Celui que j'empruntais tous les jours pour aller et revenir de chez Del, ce fameux printemps, jadis. Celui sur lequel j'avais surpris Opal hier, fouillant les herbes avec un grand bâton, comme si elle cherchait des serpents. Je n'avais pas suivi ce chemin depuis la veille du meurtre de Del et si je regrettais de ne pas avoir de grand bâton, ce n'était certainement pas des serpents que j'avais peur.

Le rocher de la taille d'une voiture derrière lequel Del et moi nous étions cachées naguère, écoutant les voix des femmes qui faisaient du pain, était à la gauche de l'entrée du sentier. « Un manque de respect », avait dit Mimi à Doe. Et ce n'est que plus tard que j'avais compris de quoi elles parlaient. Ce n'est que plus tard que le vrai père de Raven allait être identifié, ce qui bouleverserait toute la communauté.

Je m'appuyai contre le gros rocher, respirant l'odeur du feu de bois provenant de la cheminée de ma mère et étudiant sur le sentier les deux séries de petites empreintes, l'une qui venait, l'autre qui partait. Je suis curieuse de nature. Je n'aime pas les mystères non résolus. Je me détachai du rocher et m'enfonçai dans les bois, bien décidée à trouver cet enfant.

C'est tout juste si je n'entendais pas Del derrière moi, si je ne sentais pas sa main sur mon épaule. *« Bouh ! Ma meilleure amie vit pour de vrai dans un tipi indien pourri. »*

Le vieux sentier menant chez les Griswold était couvert de végétation, mais pas impraticable. Quelques jeunes pousses qui tentaient de grandir au milieu avaient été récemment taillées, ce qui prouvait que l'on voulait préserver le passage. À part Opal, je n'avais vu personne l'utiliser, alors c'était peut-être son œuvre. Mais les traces étaient trop petites pour être celles d'Opal, qui tenait de sa mère pour la taille. Mes bottes s'enfonçaient dans la neige molle, tout comme l'avaient fait les pieds de l'enfant. Je poursuivis ma route, tandis que les battements de mon cœur s'accéléraient. Je me sentais légèrement étourdie. Désorientée. Une partie de moi avait à nouveau dix ans et se dépêchait pour retrouver Del.

« *Tu m'attraperas pas !* »

Les traces bifurquaient à droite sur le chemin qui menait à la cabane penchée, comme je m'en étais doutée. Je m'arrêtai à l'embranchement, le cœur battant à tout rompre, et essayai de me convaincre de rentrer. De faire demi-tour. Le café serait prêt et, dans moins d'une heure, la neige fondrait et les empreintes disparaîtraient. Je pourrais me dire que j'avais rêvé. Que ça faisait partie du rêve qui avait commencé avec les paroles de Mini Marinelli : « *Les morts peuvent nous en vouloir.* »

Les quelques détails que je connaissais sur le dernier crime me revinrent à l'esprit. Où avait-on trouvé le corps de Tori ? Près de la vieille cabane ? Allais-je tomber sur les rubans jaunes de la police ? Y aurait-il encore des traces de ce qu'il s'était passé la semaine d'avant ? Et que s'était-il passé au juste ? Était-il vraiment possible que le meurtrier de Del ait recommencé ? Qu'il soit resté en ville pendant tout ce temps, à attendre, à observer, à vivre sa vie ? Et Opal était-elle vraiment sa cible ? Chaque question semblait plus absurde que la précédente.

144

J'éprouvais la même sensation de danger que celle que la cabane me procurait autrefois et je refermai les pans de mon manteau, me demandant si j'allais oser continuer. Oui, j'étais là, à sept heures du matin, en pyjama de flanelle. Je n'avais pas l'intention de pénétrer sur une scène de crime ni de me retrouver nez à nez avec un tueur. Je n'avais même pas encore bu mon café.

En dépit de mon souffle court et de la terreur qui m'envahissait, il était trop tard pour faire demi-tour. Je restais plantée là, à regarder le sentier qui menait à la vieille cabane construite par le grand-père de Del. Un endroit où je n'étais pas revenue depuis la veille de l'assassinat de Del, lorsqu'elle s'était déchaînée contre Nicky et moi, folle de rage. Nicky avait dit que la cabane tenait toujours debout, et je décidai de le constater de mes propres yeux. Il n'y avait pas de quoi avoir peur. Ce n'était qu'un enfant que je poursuivais. Je travaillais dans une école, après tout, les enfants, ça me connaissait. Je poursuivis mon chemin, les yeux rivés sur les traces dans la neige.

Le vieux campement était plus près que dans mon souvenir. Et plus petit. Comme une maison jouet un peu trop grande. Pas de rubans jaunes, ni aucun signe indiquant qu'un crime avait été commis la semaine précédente ou trente ans auparavant. Il n'y avait toujours pas de porte d'entrée et la neige s'était insinuée à l'intérieur. Les petites traces continuaient au-delà du seuil de guingois. Je m'arrêtai sur place et examinai la construction branlante. Un château de cartes, pensai-je. Près de s'écrouler.

Et j'entendis un rire à l'intérieur, un rire d'enfant en cascade.

— Qui est là ? C'est toi, Opal ?

Silence.

— Sors maintenant, je sais que tu es là !

Encore le silence.

— Je ne vais pas te gronder. Je ne suis pas en colère. Je veux juste que tu sortes.

J'essayai de donner à ma voix un ton d'autorité adulte que je ne ressentais pas.

Rien. Ni son, ni mouvement.

— Je compte jusqu'à trois et j'entre. Je suis sérieuse. Un ! commençai-je, en dansant d'un pied sur l'autre, dans l'espoir de voir un petit visage effrayé apparaître dans l'encadrement de la porte. Deux !

Je ne voulais pas pénétrer là-dedans. À aucun prix. Voir la petite cabane sombre me suffisait. Je voulais repartir à la maison, me faire une tasse de café bien chaud et tout oublier de ces empreintes. J'étais trop vieille pour jouer au détective.

— Trois !

OK. Ce n'était qu'un enfant. Un enfant qui faisait une blague. Rien à craindre.

Je m'armai de courage et franchis le seuil. Toujours la même odeur de renfermé et de moisi. Les anciens lits de camp étaient encore contre les murs, le gros poêle plus rouillé qu'avant n'avait pas été enlevé. Rien ne semblait avoir changé. Pas de vandalisme, pas de graffitis genre *Ted M Ann-Marie* tagué sur les murs. Si des jeunes étaient venus là, ils avaient traité la cabane avec respect, comme un sanctuaire.

Je regardai sous les lits de camp et inspectai les coins sombres de la pièce. Aucun signe de vie. J'entendis un bruissement venant du grenier. Un piétinement étouffé qui, de façon absurde, me fit penser à un crabe géant.

— Qui est là ?

Seulement un enfant. Un enfant voleur de thon et de lait. Pas de pattes ni de pinces, pas d'exosquelette hideux.

— Hou ! hou !

Je m'attendais presque à ce qu'une voix familière me réponde : *C'est Del. C'est Nicky. Viens fumer une cigarette.*

Mais ça, c'était il y a trente ans.

Je m'approchai de l'échelle et entrepris de monter, m'agrippant solidement aux barreaux, marquant une pause à chaque pas pour écouter. L'échelle me paraissait raide et dangereuse, signe que je n'avais plus dix ans. Le bruissement recommença, puis cessa. Je m'accrochai à l'échelle, à peu près à mi-chemin, retenant mon souffle, l'oreille aux aguets.

— Il y a quelqu'un ? demandai-je, d'une voix que j'aurais voulue moins frêle et moins aiguë.

Pas de réponse. Plus de bruit ni de mouvement au-dessus de moi. Je poursuivis mon ascension, l'échelle craquait un peu.

Ma tête arriva au niveau du grenier et, nerveusement, je jetai un œil dans cet espace dégagé, surprise mais soulagée de constater que j'étais seule. *Des souris,* me dis-je, *des écureuils.* Les bruits que j'avais entendus provenaient de rongeurs intrus. Mais n'était-ce pas moi l'intruse ? Et les empreintes ?

Un enfant ne disparaît pas comme ça. Je scrutai le grenier vide, pas vraiment persuadée d'être seule.

Pas de matelas. Pas de magazines. Pas de cachette pour un enfant. Seulement une vieille boîte d'allumettes, rongée par les souris. Des allumettes à bout bleu gisaient sur le sol, mais disposées de façon étrange, selon un certain ordre. Je me hissai dans le grenier pour y regarder de plus près. Là, à la place du matelas, quelqu'un s'était servi des allumettes pour écrire cette injonction :

TROUVE ZACK,

ADJOINTE.

Je sentis mon cœur monter lentement dans ma gorge et battre à grands coups, jusqu'à m'étouffer. Les mots me fixaient, me mettant au défi de désobéir. Mon esprit se démenait en vain à la recherche d'une explication, tournant à vide comme des roues dans le sable, lorsque, enfin, une hypothèse plausible me vint à l'esprit et me remit les pieds sur terre. Dans le monde des vivants. Opal, ça devait être Opal, prête à tout pour que je la croie. Puis je me rendis compte qu'une seule personne en dehors de Del connaissait mon ancien surnom.

— Nicky.

J'articulai son prénom en silence, la gorge encore trop nouée par la peur pour émettre un son. J'éparpillai les allumettes d'un coup de pied.

— L'enfoiré ! Il savait que je viendrais ici. Quel enfoiré !

Je descendis lentement l'échelle, tâtonnant à chaque barreau. Lorsque mes pieds touchèrent le plancher, j'entendis à nouveau un bruissement dans le grenier, mais au lieu de remonter, je m'enfuis de la

148

cabane aussi vite que je pus, les poumons avides d'air frais.

Bien au-dessus de la cime des arbres, le soleil brillait d'un éclat aveuglant. La neige fondait rapidement, emportant les empreintes que j'avais suivies. Tandis que je me dépêchais de rentrer, je me demandai comment Nicky avait réussi le coup des empreintes : il avait dû payer un gamin. Il avait installé les allumettes la veille, puis était passé nous voir pour me faire tomber dans le panneau, en parlant de la vieille cabane. J'avais marché à fond – pathétique, vraiment. Mais pourquoi s'était-il donné tout ce mal ? Dans quel but ? Pour me faire croire aux fantômes ? Pour me renvoyer dans le passé à la recherche de je ne sais quoi ? « *Trouve Zack, Adjointe.* » Quel intérêt pour Nicky que je retrouve Zack, un homme que j'avais complètement oublié ? Et qui, aux dernières nouvelles, vivait quelque part au Canada.

Zack avait quitté New Hope peu de temps après le meurtre de Del. La police l'avait interrogé plusieurs fois (ainsi que d'autres résidents de New Hope) et lorsqu'il fut lavé de tout soupçon, il avait ramassé ses livres et sa guitare et était parti en stop.

Je marchais à grandes enjambées, stimulée par la colère, et je ne mis pas longtemps à atteindre le rocher d'où je vis la fumée sortir de la cheminée chez ma mère. Une tasse de café chaud et fort, voilà ce qu'il me fallait pour chasser de ma tête les toiles d'araignée et les rires imaginaires. Une silhouette sortit sur les marches de la maisonnette. Elle se tourna vers moi en agitant frénétiquement les bras. C'était Raven.

— Kate ! Où est ta mère ?

Merde ! Tant pis pour le café.

Je me mis à courir dans la bouillasse.

— Dans sa chambre ! répondis-je, pleine d'espoir, mais je me souvins soudain que j'avais ouvert le cadenas avant d'entendre le miaulement.

— Non. Sa porte est déverrouillée et elle n'est pas dans la maison. Je me disais qu'elle serait peut-être avec toi. Où étais-tu passée ?

— J'ai fait une petite promenade. Je ne suis partie que vingt minutes, une demi-heure au plus.

Elle me lança un regard exaspéré, à juste titre – ma mère pouvait faire pas mal de bêtises en une demi-heure.

Mais est-ce qu'elle reviendrait avec un couteau cette fois ? Et du sang séché sur ses pansements ?

— Viens, il faut qu'on la trouve. Je pense qu'elle est partie sur la route.

Je sautai dans la voiture de Raven, tout en refermant les pans de mon long manteau pour cacher mon pyjama.

— J'ai cru entendre Magpie, lui dis-je, omettant de mentionner les traces dans la neige. Opal n'est pas allée dans les bois ce matin ?

— Bon sang, Kate ! Bien sûr que non ! Elle s'est levée à six heures et était à l'arrêt de bus à sept heures moins le quart.

J'essayai de me représenter la taille des pieds d'Opal et plus j'y pensais, plus j'étais convaincue que ce n'étaient pas ses empreintes. Elles auraient dû partir de la grange principale. Or elles semblaient commencer et s'arrêter à la vieille cabane.

Un gamin, à qui Nicky a filé cinq dollars. Un gamin doué pour la lévitation. Qui a fait l'aller et retour à la cabane en se balançant dans les branches des arbres, comme Tarzan.

Nous sortîmes de l'allée en suivant ce qui aurait pu être les traces de ma mère dans la neige fondue. Elles menaient à Bullrush Hill Road, où nous les perdîmes. Raven continua le long de la route, tandis que nous scrutions désespérément les bois de chaque côté.

— Kate, voilà exactement pourquoi elle ne peut pas rester toute seule. Je t'ai apporté des numéros de téléphone. Des gens qui peuvent te renseigner sur les séjours longue durée. Il y a un établissement à St. Johnsbury qui serait parfait.

— Elle ne veut pas aller dans une maison de retraite.

— Je sais. Je le sais bien. Mais tu es infirmière, bon sang ! Tu comprends la situation. Son état ne va pas s'améliorer. Je connais une prof à la fac, Meg Hammerstein. Elle a écrit un livre sur la démence sénile et gère une clinique de la mémoire pour les malades d'Alzheimer. Tu devrais la contacter.

Raven conduisait trop vite. J'avais du mal à scruter le paysage broussailleux qui défilait à toute vitesse. Un lièvre traversa la route en zigzaguant avant de s'enfoncer dans les bois. Blanc comme un fantôme avec sa fourrure d'hiver. Les fantômes sont-ils blancs ? Casper l'est. Blanc et inoffensif. De toute façon, ça n'existe pas, les fantômes. Seulement des hommes désespérés qui élaborent des

151

plans compliqués pour vous en convaincre. Qu'il aille se faire voir.

— On arrive à un point où ta mère représente un danger pour elle-même et pour les autres, poursuivit Raven. L'incendie aurait pu tourner à la catastrophe. C'est vrai, on n'a perdu que le tipi. Mais tu imagines s'il y avait eu quelqu'un dedans ? Si Opal avait été là ? Ça s'est passé au milieu de la nuit. C'est un pur hasard si Opal dormait chez Tori, et moi chez mon copain.

— Ma mère n'a vu personne en allant au tipi cette nuit-là ?

Raven quitta la route des yeux pour me lancer un regard incrédule. Puis elle remarqua mon pyjama et secoua la tête.

— Il était trois heures du matin. Gabriel a aperçu les flammes de sa fenêtre. Il a cru que j'étais là. Il s'est précipité en sous-vêtements et n'a trouvé que ta mère. Elle s'est débattue. Elle l'a mordu au bras quand il l'a tirée à l'extérieur, comme si elle ne voulait pas partir.

À présent, c'était à mon tour de secouer la tête, non parce que je n'étais pas d'accord, mais parce que quelque chose ne collait pas.

— Elle n'arrête pas de dire qu'il y avait quelqu'un avec elle.

— Bien sûr ! Il y a tout le temps des gens avec elle, Kate, des gens morts, ou qu'elle n'a pas vus depuis dix ans, des gens jeunes devenus vieux. Ça fait partie de sa maladie. Elle ne fait pas la différence entre maintenant et avant. Elle ne peut pas dire qui est là et qui ne l'est pas.

C'est peut-être contagieux, me dis-je, songeant à mon expédition matinale.

Raven pila en arrivant au stop situé au pied de la colline. La Blazer dérapa dans la neige. La ferme des Griswold se trouvait à notre gauche. Le panneau ŒUFS FOIN COCHONS PATTATES se balançait dans le vent. Je repensai aux cochons, et à la terreur que m'inspiraient leurs dents comme des lames de rasoir.

— Merde ! s'exclama Raven en tapant sur le volant de sa main gantée. Où elle est passée, bon sang ?

Nous passâmes la matinée à la chercher. Ma pénitence pour l'avoir perdue fut de courir dans toute la ville en pyjama, en demandant aux gens que nous croisions s'ils l'avaient vue. Raven gara la Blazer et nous fîmes du porte-à-porte : « Vous n'auriez pas vu par hasard une vieille dame en chemise de nuit en train de piétiner vos plates-bandes ce matin ? » Gabriel passa tout New Hope au peigne fin. Au magasin, Jim appela la police d'État et organisa une équipe de pompiers volontaires pour fouiller les bois entre New Hope et la ville. Nous finîmes par rentrer pour attendre le résultat des recherches chez ma mère, où nous découvrîmes que le téléphone était de nouveau en dérangement. Apparemment les lignes de Bullrush Hill étaient coupées à chaque coup de vent, ou à chaque averse de neige ou de glace. Cela pouvait durer des jours sans raison apparente. D'aussi loin que je m'en souvienne, il en avait été ainsi.

153

Je m'habillai pendant que Raven préparait de la soupe – il fallait qu'elle s'occupe sinon elle pétait un plomb, dit-elle. Je me tins sur les marches devant la maison et ouvris le paquet de cigarettes acheté chez Haskie, bien consciente de l'absurdité de la chose. Je ne fume plus depuis la fac. Je suis infirmière. Chaque semaine, je cours pendant des kilomètres sous la pluie dans les collines de Seattle, je ne m'octroie que rarement une glace au yaourt allégé, et je choisis toujours une pomme de terre au four plutôt que des frites. Mais ce n'était certainement pas en coupant des carottes et des rutabagas en rondelles que j'allais me calmer !

Opal nous surprit en rentrant plus tôt de l'école.

— Qu'est-ce qui ne va pas ? demanda Raven.

— Mal à la tête.

— Encore ?

— Je vais bien, maman. Il fallait juste que je rentre.

Raven lui raconta la fugue de ma mère, m'en imputant l'entière responsabilité, ce que j'acceptai volontiers. Proposant d'aider à faire la soupe, Opal remonta les manches de son pull.

— Ma montre ! m'exclamai-je.

Opal eut l'air étonnée, puis toucha la montre avec un sourire gêné avant de l'enlever et de me la tendre sans explication, presque comme si elle n'avait pas remarqué qu'elle l'avait au poignet. Comme si la montre s'était matérialisée dès qu'Opal était arrivée.

— Euh, en fait, je crois que je vais aller m'étendre dans la grange principale, annonça-t-elle, plus à Raven qu'à moi.

D'ailleurs, elle fit très attention à ne pas croiser mon regard.

Raven hocha la tête et Opal se faufila dehors, le dos courbé, les yeux baissés.

— Elle emprunte les objets, m'expliqua Raven lorsque sa fille fut sortie. Elle ne le fait qu'avec les gens qu'elle aime, alors tu peux t'estimer heureuse. Elle te l'aurait rendue, de toute façon. Elle ne pense pas à mal. La plupart du temps, je ne suis même pas sûre qu'elle soit consciente de ce qu'elle fait.

À présent c'était à mon tour de hocher la tête. Kleptomanie agrémentée d'une pointe d'amnésie. Cela ajouté à des menaces de mort de la part de fantômes : cette gamine ferait le bonheur des psychiatres.

À quel moment avait-elle pris ma montre ? Quand même, je m'en serais rendu compte si elle l'avait fait lors de notre visite la veille au soir. Était-elle revenue en douce dans l'atelier pendant mon sommeil ? Était-ce à elle que je devais l'impression d'une présence dans ma chambre, de quelqu'un me regardant dormir ? L'avait-elle déjà fait ? Et avait-elle pris autre chose, et quoi ?

— Je sais qu'elle est en train de s'attacher à toi, reprit Raven. Mais je dois te redemander, s'il te plaît, de ne pas encourager ces histoires de fantômes. Je ne veux pas qu'on parle de Del Griswold. Sous aucun prétexte. C'est bien clair ?

— Limpide, répondis-je en resserrant mon bracelet-montre sur mon poignet.

155

Vers midi, nous entendîmes une voiture s'arrêter dans l'allée et nous nous précipitâmes pour voir Nicky aider ma mère à descendre de son pick-up.

Raven courut vers elle et la serra dans ses bras à l'étouffer.

— Jean, tu nous as fait une de ces peurs !

— Il fallait que j'achète des œufs, répondit ma mère.

Elle me fit un clin d'œil.

— Je vous connais, dit-elle.

Raven l'entoura de son bras et l'emmena vers la maison.

— Où l'as-tu trouvée ? demandai-je à Nicky.

— Elle se baladait dans les bois derrière notre ancienne ferme.

— Et toi, qu'est-ce que tu faisais par là-bas ?

J'avais beau lui être reconnaissante d'avoir ramené ma mère saine et sauve, j'étais incapable de cacher mon ton accusateur.

— Je fouinais un peu. J'avais fait un rêve bizarre où la vieille cabane brûlait. Quelqu'un jouait avec des allumettes.

Ça alors ! Je n'ai pas pu me retenir :

— Ben voyons ! C'est sûr que quelqu'un a joué avec les allumettes. Un peu spécial, comme plaisanterie, Nicky !

Il eut l'air interloqué.

— Écoute, je suis juste allé voir si tout allait bien et je suis tombé sur Jean en chemise de nuit et en pantoufles. Je l'ai ramenée ici tout de suite. Je savais que tu te ferais un sang d'encre.

— Oui, et hier ? Tu es allé là-bas aussi ? C'est hier que tu as fait cette mise en scène ? Avant ou après m'avoir parlé ? Et tu l'as trouvé où, le gamin qui a laissé les traces dans la neige ?

Il secoua lentement la tête et leva ses grandes mains dans un geste d'apaisement. Il allait se débrouiller pour me donner l'impression d'être celle qui perdait les pédales. Dire que la veille je me sentais si attirée ! Aujourd'hui j'aurais pu lui sauter à la gorge.

— Kate, je ne sais pas de quoi tu parles. On dirait que c'est toi qui as bu trop de Wild Turkey.

— « *Trouve Zack, Adjointe* » ! Voilà de quoi je parle. Le message que tu m'as laissé dans la cabane. Plutôt tordu, Nicky. Je n'aime pas être manipulée.

— Je n'ai laissé aucun message dans la cabane. Ça fait des mois que je n'y ai pas mis les pieds. « Trouve Zack » ? C'est idiot. Zack est ici, en ville. Il enseigne à la fac. On prend une bière ensemble de temps en temps.

Nicky mentait très bien et ça me mit en rage. J'inspirai nerveusement.

— Je te remercie d'avoir ramené ma mère, mais je voudrais que tu partes maintenant.

Il eut l'air d'un chien qui a pris un coup de pied dans le ventre. Je regrettai presque ma dureté.

— Écoute, dit-il en se mordillant la lèvre. Il y a autre chose. Quelque chose que j'ai trouvé dans les bois avant de tomber sur ta mère.

Il fit le tour de sa voiture et attrapa sur la plate-forme un paquet enveloppé dans du tissu rouge. Je m'approchai pour mieux voir, soupçonneuse mais curieuse. Raven vint nous rejoindre et nous informa que ma mère avait passé des vêtements secs et était en train de déjeuner.

— Qu'est-ce que c'est ? demanda Raven en voyant la chemise de flanelle en boule dans les bras de Nicky.

Il souleva un coin du tissu et nous vîmes une touffe de poils. Je tendis la main pour dégager entièrement la chemise, et je lâchai un cri étouffé.

— Mon Dieu !

C'était Magpie. Elle avait la gorge tranchée, la fourrure blanche de sa poitrine était trempée de sang. Son corps était souple, le sang encore frais. Sa mort ne remontait pas à longtemps. J'enlevai ma main et l'essuyai sur mon jean.

— Mon Dieu ! répétai-je.

— C'est bien le chat de ta mère ? demanda Nicky.

J'acquiesçai, en regardant Raven qui ouvrait des yeux immenses.

— Tu crois que c'est l'œuvre d'une martre ? Ou d'un coyote ? demanda-t-elle.

Nicky secoua lentement la tête.

— Ce n'est pas un animal. Du moins, pas un animal à quatre pattes.

Il tira de sa poche un bandana rouge tout chiffonné, d'où il sortit un couteau suisse. Je reculai. Il ressemblait vraiment beaucoup au mien. Mais on en voit partout, de ces couteaux rouges avec une grande lame et un décapsuleur, tournevis et tire-bouchon miniature. D'ailleurs le mien était bien rangé dans mon sac à main, n'est-ce pas ?

— La blessure est propre et régulière, et j'ai découvert ça près du corps. Que je sache, les martres ne se baladent pas avec des couteaux suisses.

Raven frissonna.

— Tu l'as trouvée où ?

— Dans les bois, le long du sentier qui va de notre ancienne ferme à ici.

— Attends, dit Raven, ce n'est pas là que tu es allée te promener ce matin, Kate ?

— Si, mais je n'ai rien vu. J'avais cru entendre la chatte miauler, alors je suis sortie voir.

Mon ton n'était guère convaincant, même pour moi. Je me gardai bien de mentionner les détails insignifiants tels que les empreintes d'enfant et les rires dans la cabane.

Raven replia la chemise sur le corps de Magpie, le prit des bras de Nicky, et emporta son fardeau emmailloté dans sa voiture, où elle l'installa précautionneusement sur le siège arrière.

— Je vais l'enterrer, annonça-t-elle. Il ne faut rien dire à Jean. On ne peut pas lui montrer. Ça l'anéantirait. Et je veux ce couteau, Nicky.

Nicky le lui donna, nous fit un signe de tête – un au revoir muet –, monta dans son pick-up et repartit en marche arrière. Raven le suivit en disant qu'elle reviendrait plus tard voir si ma mère allait bien.

— Ne la laisse plus toute seule, ajouta-t-elle.

C'était plus une menace qu'une requête.

Je restai plantée là un instant, à écouter le bruit du moteur qui s'éloignait. Comme je me retournais pour rentrer, ma mère apparut sur le seuil, tenant à la main un bout de pain surmonté d'un morceau de dinde et d'une grosse cuillerée de moutarde.

— Il est parti ? demanda-t-elle. Je lui avais fait un sandwich. Quel gentil garçon ! Si tu n'étais pas déjà mariée, je te dirais de te mettre avec lui.

159

— C'est un connard, maman.

— Qui ça ?

— Nicky Griswold. Celui qui t'a ramenée. Celui pour qui tu as fait le sandwich.

Ma mère acquiesça sereinement.

— Un si gentil garçon. Sa sœur a été assassinée dans les bois. Pauvre petite. Elle a eu la gorge tranchée, tu sais.

Non. Del a été étranglée. C'est la chatte qui a eu la gorge tranchée.

Elle mordit dans le sandwich informe et rentra dans la maison.

— Pauvre petite, marmonna-t-elle.

9

Début juin à mi-juin 1971

C'est le dernier jour d'école, le 16 juin, que mon grand plan capota ; tel est le sort de tout plan d'élève de CM2 solitaire en mal d'amis. Je me souviens précisément de la date, même aujourd'hui, parce que plus tard dans la soirée le corps de Del fut découvert. Ces deux événements – ma trahison et son assassinat – sont désormais si intimement liés dans mon esprit qu'il me semble que l'un n'aurait pas pu exister sans l'autre. En dehors de son meurtrier, je suis la dernière personne à avoir vu Del vivante. Et à ce moment-là, elle me fuyait, courant aussi vite que ses jambes maigres aux genoux couronnés le lui permettaient.

Durant ces dernières semaines avant que mon année de CM2 et la vie de Del Griswold ne prennent fin, les choses se précipitèrent à New Hope. La vie dans le tipi n'avait pas été la tranquillité même. Il s'avéra qu'Élan Paresseux était le père de Raven, le bébé de Doe. Mimi fut celle qui l'apprit à ma mère, laquelle, au lieu de prendre les choses avec une tristesse mêlée de dignité sereine et de remercier Mimi de son honnêteté, l'accusa aussitôt d'être une fouineuse et une colporteuse de ragots qui ne supportait pas le bonheur des autres. Mimi sortit la tête haute, sous les cris de ma mère :

— Tu ne sais rien du tout !

Peu après cette scène désolante, Élan Paresseux se faufila dans le tipi, envoyé sans doute par Mimi ou même Gabriel. Il avoua que oui, il y avait eu une, ou peut-être trois ou quatre indélicatesses avec Doe quelque temps auparavant, mais c'était juste pour rigoler, tu vois, ils avaient peut-être un peu fumé, et ça n'avait rien à voir avec ses sentiments pour sa Jeanie-Bird. Jeanie-Bird n'allait pas avaler ça. Elle tambourina de ses poings sur sa poitrine, sans cesser de répéter : « Menteur ! Menteur ! » Puis elle lui dit de déguerpir.

Ce soir-là, il y eut dans la grange principale une réunion générale houleuse qui dura jusqu'à minuit passé. Le copain de Doe, Shawn, n'y assista pas. Apparemment il avait sauté dans sa vieille El Dorado le matin même en direction de la Californie dès qu'il avait appris que Raven n'était pas de lui. Je fus envoyée au lit au bout d'une heure, quand les choses commencèrent à tourner au vinaigre. De temps en temps j'allais écouter à la porte les voix coléreuses, les accusations lourdes de sous-entendus. Doe et ma mère en vinrent aux mains. Élan Paresseux essaya d'intervenir, mais elles s'en prirent à lui. Tout le monde, semblait-il, avait des paroles choisies à lui dire. Le problème, expliqua Gabriel à plusieurs reprises, était de l'ordre de la tromperie. Personne ne jugeait Élan Paresseux pour avoir couché avec Doe – après tout, il s'agissait d'adultes consentants, et personne à New Hope n'était en faveur du concept patriarcal de monogamie obligatoire, de la possession du corps d'une personne par une autre. Le problème était qu'il avait menti à tout le monde et qu'il avait entraîné Doe dans ce mensonge. C'était à cause de cela qu'il passait en procès et qu'il fut déclaré coupable. La décision fut prise à l'unanimité vers une heure du matin : Élan Paresseux n'était plus le bienvenu à New Hope. Alors, le lendemain, Marc Lubofski fourra ses vêtements, sa table et son matériel à bijoux dans son combi Volkswagen et prit un appartement en ville. Personne ne sut vraiment pourquoi il n'alla pas plus loin. Pour être près du bébé, avancèrent certains. Parce qu'il aimait encore ma mère et espérait qu'elle le reprenne, chuchotèrent d'autres à l'oreille de leurs amis.

Je souscrivais à la dernière théorie. Les jours suivant son bannissement, j'allai en ville à vélo et je tournai autour de son immeuble. Une fois, je le surpris à la fenêtre en train de m'observer. Je lui fis signe de descendre, mais il se contenta d'un salut maladroit avant de fermer le rideau.

Avant qu'il parte de chez nous, je lui volai quelque chose. Un collier qu'il avait fait avec des bouts de bois sculptés, des languettes de cannettes de bière et une cartouche de fusil. Je le gardai sous mon oreiller, mon talisman à moi pour le faire revenir.

À peine quelques jours après le départ d'Élan Paresseux, ma mère prit le plus jeune membre de la communauté (en dehors de Raven et moi), l'ex-étudiant de dix-neuf ans, Zack, comme amant. Elle avait quarante et un ans, l'âge que j'ai aujourd'hui.

C'est sa chanson triste qui la séduisit. Il s'approcha du tipi avec sa guitare et chanta une composition originale, pour une fois, pas du Bob Dylan – « Je l'ai écrite en pensant à ce qui vient de t'arriver, Jean » –, qui disait qu'avoir été trompée n'était pas une raison pour fermer son cœur à jamais. Debout derrière lui, je faisais le clown et louchais en essayant de capter l'attention de ma mère. Mais celle-ci, les larmes aux yeux, le serra dans ses bras si longtemps que je crus qu'elle ne le lâcherait jamais. Je n'en revenais pas.

— Tout ça pour une chanson débile, dis-je, tandis qu'elle le tenait serré.

Par-dessus l'épaule de Zack, elle me jeta un regard qui me bannit moi aussi du tipi. Je décampai, furieuse. Lorsque je revins, la guitare était posée à côté du rideau fermé entourant son lit.

— Une chanson débile, marmonnai-je en me couchant, le collier dans le creux de ma main.

Contrairement à Élan Paresseux, Zack ne semblait pas s'intéresser à moi. Il n'essayait pas de me traiter comme sa fille et ne se mettait pas en quatre pour m'apprivoiser. Il ne m'emmenait pas en promenade dans les bois et ne me racontait pas d'histoires de Coyote le Filou. Il faisait un peu comme si je n'existais pas lorsqu'il entrait dans le lit de ma mère ou en sortait tel un voleur, un petit sourire nerveux aux lèvres. Si je le fixais assez longtemps, ses oreilles devenaient cramoisies.

Mais ce qui me reste de leur brève liaison, c'est qu'il faisait rire ma mère. Je ne sais pas ce qu'il disait ou faisait, mais soir après soir, j'entendais ma mère rire derrière le rideau. Doucement d'abord, un peu gênée peut-être, puis de plus en plus fort – son rire devenait incontrôlable, hystérique, elle pleurait presque. Et au-dessous, j'entendais les chuchotis de Zack, le froissement des draps.

C'est aussi à peu près à cette époque que ma mère s'est mise à coudre. La couture fut sa première percée dans le monde des arts créatifs. Après, elle s'essaya au tissage, à la poterie, et enfin à la peinture, occupation qu'elle conserva.

Elle installa une petite table dans le tipi, à l'endroit où Élan Paresseux fabriquait ses bijoux – comme s'il fallait qu'elle remplisse cet espace, qu'elle se l'approprie. Son premier ouvrage fut un coussin avec une inscription au point de croix qui disait : *Amour dans les cœurs, maison du bonheur.* Un peu ironique comme message, au vu de tout ce qui s'était passé dans son foyer. Et le motif aussi était drôle : une maison blanche bien carrée, avec de jolis petits rideaux bleus et des arbres parfaitement symétriques dans le jardin. J'essayai d'imaginer la toute petite famille qu'on pourrait découvrir si on ouvrait la porte ou soulevait les rideaux. Je savais que ce serait une famille différente de la mienne. Les enfants auraient une mère et aussi un père. Peut-être bien un chien. L'eau chaude. Des steaks aux repas. Les petits habitants de cette maison n'ont rien à voir avec notre vie, voilà ce que je pensais à l'époque, lorsque j'avais dix ans et que je regardais ma mère coudre.

Cette activité semblait la rendre heureuse, lui donner un but pour remplir ses journées. Et la nuit, elle avait Zack. Après le dîner, il jouait de la guitare pendant qu'elle cousait, puis ils se lançaient des regards de conspirateurs et se fourraient vite au lit.

Désespérée, je me rendis en ville à vélo et laissai un mot dans la boîte d'Élan Paresseux, dans lequel je le mettais au courant de la situation et lui disais de revenir reprendre les choses en main avant qu'il ne soit trop tard. Il ne revint pas. Il pensait, je suppose, qu'il était déjà trop tard, Zack ou pas.

Lorsque je lui racontai la saga d'Orignal Mollasson (omettant volontairement la partie concernant Zack), elle déclara en riant que finalement il ne devait pas être si mollasson que ça. En tout cas, pas des parties importantes. Je fis semblant de comprendre. Je prétendis aussi que je me fichais de son départ. Rien à foutre. C'était juste un hippie débile avec un nom à la noix, de toute façon.

L'après-midi d'avant les vacances, je traversai le champ à la recherche de Del pour lui donner le collier que j'avais chipé à Élan Paresseux. Sans illusion sur son pouvoir de le faire revenir, je voulais m'en débarrasser. J'espérais l'utiliser dans une sorte de geste de conciliation : Del n'avait pas été entièrement satisfaite de mon travail d'espionne.

Mon scénario d'agent double avait marché comme prévu pendant des semaines. Je n'avais qu'à dire aux deux parties ce qu'elles avaient envie d'entendre, en saupoudrant les histoires inventées de parcelles de vérité. Afin de gagner et de conserver l'amitié d'Ellie et Samantha, je rapportai que oui, c'était vrai que la Patate montait son poney toute nue – je leur dis même qu'il s'appelait Spitfire.

Je leur racontai que sa chambre était en fait le cellier et qu'elle savait tirer à la carabine.

Je dis à Del qu'Ellie portait un appareil dentaire la nuit (vrai), que Samantha avait une sœur aînée attardée mentale (vrai aussi) et qu'elles étaient toutes les deux secrètement amoureuses d'Artie Paris, le voyou de l'école (ça, bien sûr, c'était de la pure fiction, mais Del le goba).

La dernière semaine d'école, les deux parties exigèrent le ragot suprême. Elles ne semblaient pas impressionnées par les quelques miettes que je leur apportais. Je craignais de perdre mon emprise sur Ellie et Sam, qui réclamaient une info vraiment croustillante. Et Del resta de marbre lorsque je lui annonçai qu'Ellie et Sam avaient des poux, des verrues, des vers intestinaux. Je devais sortir la grosse artillerie.

Je racontai donc à Del qu'Ellie avait invité Artie chez elle et qu'ils s'étaient embrassés. Del ne me crut pas, elle leva les yeux au ciel, secoua la tête, et dit simplement : « Non ! » Je m'appliquai à la convaincre, inventant des détails au fur et à mesure : ça s'était passé au sous-sol, d'abord Artie avait forcé Ellie, puis elle s'était rendu compte que ce n'était pas si désagréable et elle s'était laissé faire. J'ajoutai même qu'Ellie, qui ne connaissait rien à rien, avait peur de tomber enceinte et qu'elle demandait tout le temps à ses copines si ça commençait à se voir.

— N'im-por-te quoi ! s'exclama Del, sans que je sache si elle parlait de mon histoire ou d'Ellie.

Quant à Ellie et Sam, elles eurent droit à une demi-vérité, simplement parce que j'étais à court de mensonges. Je savais, leur dis-je, que Del avait un tatouage.

— Non ! Un tatouage de quoi ?

Nous étions sous la cage à grimper, notre lieu de rendez-vous habituel. D'autres élèves passaient devant nous, et je me rengorgeai, tout émotionnée, tellement j'étais fière d'être vue ainsi en compagnie d'Ellie et Sam, jour après jour. Ce ne fut que quand Del nous regarda que je sentis les froides attaques de la culpabilité et du regret.

— Je sais pas. J'ai juste vu le bord un jour, quand elle se changeait.

— T'es sûre ?

— Juré craché. Sur la poitrine.

— Ça doit être une patate ! suggéra Sam.

— Ce que j'ai vu était tout noir.

— Une patate pourrie ! gloussa Ellie.

Ce que j'ignorais, ce qui ne me traversa pas l'esprit un seul instant, tant j'étais sûre de moi dans mon rôle d'informatrice, c'est qu'un garçon nommé Travis Greene, amoureux d'Ellie, serait lui aussi informé de l'existence du tatouage et qu'il en informerait à son tour la plupart de ses copains, dont le gros Tommy Ducette, premier homme de main d'Artie Paris. J'ignorais également que, pour le dernier jour d'école, Artie Paris avait manigancé quelque chose, son cadeau d'adieu à l'école élémentaire n° 5 et sa classe de CM2.

Ne trouvant Del ni dans les champs ni dans le cellier, je me dis qu'elle devait être dans la cabane. Je me mis donc en route, le collier d'Élan Paresseux au fond de ma poche, mais je fus arrêtée par l'excitation qui régnait dans l'enclos des cochons. Apparemment l'un d'eux était devenu fou.

Il tournait autour de l'enclos au petit trot en coui- nant – en criant, plutôt. Si un de ses congénères se mettait en travers de son chemin, le cochon char- geait, lui rentrait dedans, le mordait.

Appuyée contre la barrière, j'essayai d'attirer son attention.

— Tout va bien, allez, calme-toi, cochon !

Mais l'animal ne faisait que courir plus vite, comme s'il voulait s'envoler, comme s'il pensait qu'en étant plus rapide, il pourrait parvenir à s'échapper.

— Barre-toi de ces cochons tout de suite !

Je m'écartai de la barrière et me retournai pour me trouver nez à nez avec Ralph Griswold, moi qui ne l'avais jamais vu que de très loin. Il était grand, vêtu d'une salopette sale, les épaules massives et carrées, sa mâchoire anguleuse couverte d'une barbe sombre de plusieurs jours. Ses cheveux noirs juste assez longs pour recouvrir ses oreilles dépas- saient de sa casquette. Il avait les yeux gris-bleu pâle de sa fille.

La seule personne au monde que Del craignait était son père, et voilà qu'il se tenait là, à moins de deux mètres de moi.

— Je… je cherchais Del, dis-je en remarquant ses mains, grandes comme des battoirs.

Il tenait un gros pistolet dans la droite.

— Eh ben, elle est pas dans l'enclos, alors file ! Tu déranges mes cochons !

Il me fit signe de partir de sa main libre. Je pris mes jambes à mon cou et, lorsque j'atteignis le sentier, j'entendis un coup de feu, mais je n'osai pas me retourner.

J'arrivai à la clairière tout essoufflée, les jambes en coton. J'entendis des voix dans la cabane penchée et je m'approchai.

— Del ? Nicky ?

Silence. Je vis une silhouette familière passer le seuil en vitesse. C'était Zack, le garçon grâce auquel ma mère s'endormait en riant tous les soirs. Il portait un tee-shirt blanc et un jean troué aux genoux. Il était pieds nus, comme d'habitude. Je n'avais jamais vu Zack avec des chaussures, excepté des bottes en caoutchouc rouge qu'il enfilait pour sortir dans la neige. Je me disais que les draps de ma mère devaient être dégoûtants, avec toute la crasse qu'il avait aux pieds.

— Salut ! fit-il en me voyant.

Il me saluait toujours ainsi, que ce soit en s'asseyant en face de moi à la table commune ou en se faufilant hors du lit de ma mère, le matin de bonne heure.

— Qu'est-ce que tu fiches ici ? lui demandai-je, complètement abasourdie.

Je vis ses oreilles rougir. Je me sentis déstabilisée, comme si mes deux univers s'étaient en quelque sorte entremêlés sans que je le sache ou l'approuve. J'aurais été tout aussi surprise de voir Del enfourner une miche de pain à New Hope.

— Rien, répondit-il en haussant les épaules et en regardant autour de la clairière comme si je l'ennuyais. Je me balade. À plus, Sauterelle.

Et il repartit sur le sentier, de sa démarche dansante de grand jeune homme. D'abord, Zack avait envahi ma vie dans le tipi, et à présent voilà qu'il était chez Del ! Non, mais il se prenait pour qui ?

Je pénétrai dans la cabane et entendis du bruit dans le grenier.

— Del ?

Mon esprit s'emballa. Zack était-il venu voir Del ? Pouvait-il être le mystérieux tatoueur ? Je me souvins soudain que le nom de famille de Zack était Messier. C'était ça le *M* ? J'en fus toute retournée.

— C'est moi.

La voix de Nicky me parvint d'en haut. Il passa la tête par la rambarde et me sourit.

— Monte, Rose du Désert. Viens fumer une clope avec moi.

Je grimpai à l'échelle. Nicky était assis sur le matelas. Un gros sac d'herbe était posé à côté de lui. L'air était plein de sa fumée doucereuse. Cette odeur m'était familière. L'odeur d'Élan Paresseux.

— Quoi de neuf ? me demanda-t-il en me tendant une Camel.

Il avait les yeux rouges et brillants. Il jouait avec le couteau au manche de plastique, le rentrant et le sortant de son étui de cuir.

Hors d'haleine, je lui racontai ce que j'avais vu près de l'enclos, ma rencontre avec son père armé d'un pistolet et le coup de feu. Nicky se contenta de hocher la tête.

— Elle est pas nette, cette truie. Elle a changé depuis qu'elle a eu ses petits. Papa va en faire du bacon. Une balle entre les deux yeux.

Il forma un pistolet avec sa main.

— Pan ! fit-il, puis il souffla sur ses doigts.

171

Je me tus un instant. Nicky me souriait d'un air niais, et me regardait comme si une partie de lui s'était éloignée.

— Tu as fumé de l'herbe, lui dis-je.

— Et ? fit-il, les sourcils levés.

— Et d'où tu connais Zack ?

— Je connais des tas de gens.

— Qu'est-ce qu'il faisait ici ?

— Il m'a apporté ça, me répondit-il en désignant le sac.

— Il te l'a donnée ?

— Non, bêtasse. Je lui ai acheté. C'est de la bonne. Tu veux essayer ?

— Nan.

— Mauviette.

— Je suis pas une mauviette. Et figure-toi que je pourrais en fumer tant que je veux chez moi.

Il secoua la tête, avec un vrai sourire à présent.

— T'es vraiment une mauviette.

— Arrête tes conneries !

— Aïe, quel langage ! Tu traînes trop avec ma médisante de sœur. Elle a comme qui dirait une mauvaise influence.

— C'est marrant, c'est ce qu'elle pense de toi.

— Aïe, aïe, aïe ! Alors, Rose du Désert, qu'est-ce qu'elle t'a raconté au juste ?

— Qu'en fait t'as que quatorze ans, et pas seize, que t'es carrément affreux et que t'as une espèce de secret ou un truc comme ça.

— Ben mon vieux, elle en raconte des choses, la petite sœur ! Et elle a dit ce que c'était, ce fameux gros secret ?

— Nan, juste que je voudrais peut-être plus te connaître si je le découvrais.

Il mordilla l'ongle de son pouce.

— Tu crois vraiment que, si je te le disais, tu voudrais plus me connaître ?

Je haussai les épaules, regardai ses yeux humides et pensai : *Sûrement pas.*

— T'as tué quelqu'un ou quoi ?

— Non, pas ce genre de truc. C'est… enfin, c'est compliqué. C'est tout.

— Les choses compliquées, ça me connaît, dis-je en pensant à l'embrouillamini de New Hope.

— C'est pas que je pense que tu comprendrais pas, c'est que je sais pas comment l'expliquer correctement. Mais je te le dirai, promis. Je vais y réfléchir et je te raconterai tout.

— Quand ?

— Bientôt, Rose du Désert, je te le promets.

Il prit ma main, la regarda et me fit son sourire en coin de renard.

— Mais j'en ai un autre, de secret. Tu veux savoir ce que c'est ?

— Je veux bien, répondis-je, un peu déçue de n'avoir droit qu'à une confession de deuxième ordre.

— Du moment que tu promets de pas te sauver en pensant que je suis carrément affreux et tout ça.

Je le regardai et il serra ma main. Il me souriait, ses dents étaient si blanches qu'elles semblaient luire. Je me souviens avoir pensé : *Les dents sont des os.* Ça m'a fait sourire.

— Promis.

— Bon, voilà. Approche, que je te le murmure à l'oreille.

173

Je me penchai vers lui. Son souffle était chaud contre mon oreille et mon cou. Il sentait la marijuana et le tabac, mais je détectai aussi une odeur musquée, un peu comme la sueur, en plus agréable.

— J'ai envie de t'embrasser. Vraiment très envie. Et je crois que toi aussi, t'en as envie.

Ses mots étaient des souffles humides qui semblaient toucher ma peau, puis s'y enfoncer et réchauffer la chair en dessous.

— T'as envie ? me demanda-t-il, à voix basse, plus rocailleuse que jamais. Toi aussi, t'as envie de m'embrasser ?

J'acquiesçai. Fermai les yeux comme au cinéma. Ses lèvres se posèrent doucement sur les miennes, pareilles à un papillon, mais appuyèrent plus fort aussitôt. Il prit mes lèvres entre les siennes et les aspira, les ouvrit avec sa langue, qui se força un chemin dans ma bouche comme si elle cherchait à en atteindre le recoin le plus sombre et le plus humide. Ses dents heurtèrent les miennes ; je pensai que nous allions nous retrouver tous deux avec des dents ébréchées, comme Del, tant cela claqua fort. Je me demandai si c'était ainsi que ça lui était arrivé, en embrassant.

S'embrasser ressemblait à un accident de chemin de fer. Même violence. Même danger. Je me rappelais aussi le coup de feu tiré en plein dans la tête du cochon. Ma propre tête bourdonnait. J'avais mal aux dents. Je sentais comme un goût de sang dans la bouche.

Bientôt nos lèvres furent enflées et nos bouches sèches. J'en oubliai tous les affreux secrets de Nicky. J'appris à me servir de ma langue comme lui. Il me serrait à me laisser des marques aux épaules le lendemain. Il respirait fort et vite au point de me faire craindre qu'il ne devienne bleu et ne tombe dans les pommes.

— Attends, marmonnai-je, ou essayai-je de marmonner tandis qu'il continuait de presser sa bouche contre la mienne.

Ça aurait pu durer longtemps. Ça en prenait le chemin. Mais la voix de Del arrêta tout :

— Sales traîtres !

Son hurlement remplit la cabane, une force en soi, plus puissante que l'accident de chemin de fer de notre baiser, plus stupéfiante que le coup de pistolet de son père. Nous nous séparâmes et regardâmes en bas juste à temps pour la voir sortir en trombe par le seuil sans porte. Je me tournai vers Nicky, mais il n'était plus question de continuer à s'embrasser. Ce que je discernai dans ses yeux n'était ni de l'amour, ni du désir, ni même de la culpabilité, mais de la frayeur pure, brute.

Nous descendîmes pour courir après Del, mais elle était déjà loin. Nicky me dit de rentrer à la maison. Qu'il la retrouverait chez eux et qu'il arrangerait tout. Elle mettrait peut-être un peu de temps pour se calmer, mais il me promit que ça irait mieux le lendemain matin. Je sortis de ma poche le collier que j'avais apporté pour elle.

— Donne-lui ça. Et dis-lui que je suis toujours son adjointe.

Nicky hocha la tête et descendit la côte pour rattraper sa sœur.

175

Le lendemain matin, à l'arrêt de bus, lorsque Del ne voulut pas me regarder, qu'elle refusa même de lever les yeux, je compris que Nicky n'avait pas pu tenir sa promesse d'arranger les choses. Et même si mon seul désir était de me mettre à genoux et de la supplier de me pardonner, j'avais peur. Peur qu'elle ne m'humilie davantage et que je ne me sente encore plus mal.

Je voulais lui demander si Nicky lui avait donné le collier, faire une blague sur Orignal Mollasson, lui dire que bien sûr j'étais toujours son adjointe. Sa meilleure amie à jamais.

Mais la seule chose dont je réussis à parler fut de la truie devenue folle :

— J'ai entendu ton père tuer un cochon hier.

Cette phrase eut au moins le mérite d'attirer son attention. Elle leva la tête et je vis qu'elle avait un coquard à l'œil gauche, enflé au point de ne pouvoir s'ouvrir. Elle me regarda avec une haine si farouche que je fus soulagée d'entendre le bus arriver, de voir son feu clignoter tandis que Ron ralentissait et que les portes s'ouvraient.

Toute ma vie j'ai regretté de ne pouvoir revenir en arrière pour vivre deux moments différemment. Je ne souhaite pas changer le destin qui m'a fait abandonner mes études de médecine pour me marier, ou mon choix de me faire avorter du seul enfant que Jamie et moi avions conçu. Non, aussi étrange que cela puisse paraître, les instants que je souhaiterais revivre se situent tous les deux le 16 juin 1971, et j'avais dix ans.

Le premier, c'était ce matin-là, à l'arrêt de bus. Je me jetterais à genoux et lui demanderais pardon. Je lui promettrais tout ce qu'elle voudrait, je ferais tout ce qu'elle demanderait. J'exigerais de savoir qui lui avait collé cet œil au beurre noir, et je jurerais de la venger de quiconque lui ferait du mal.

Le deuxième événement que je voudrais vivre différemment est arrivé plus tard dans la journée. Ce fut, j'en suis convaincue au plus profond de mon cœur, même aujourd'hui, la pire chose que j'aie jamais faite. Certes, j'ai abandonné ma mère ; certes, j'ai avorté d'un enfant que je désirais sincèrement ; certes, j'ai été méchante et peu charitable un millier de fois. Mais c'est la seule chose qui revient toujours dans mes cauchemars, qui me tient éveillée la nuit tandis que je rejoue la scène pour la énième fois, en imaginant une autre fin, même si je sais qu'il est trop tard.

Et pourtant, je reste avec cette dernière vision de Del qui me fuit, terrorisée. Pendant des années, c'est ainsi qu'elle m'a hantée. J'aurais dû savoir qu'elle ne s'arrêterait pas là.

10

15 novembre 2002

Le lendemain du jour où Nicky nous ramena ma fugueuse de mère et la chatte morte, le téléphone fut remis en service. Je pris quelques rendez-vous pour visiter des maisons de retraite que Raven m'avait indiquées et en profitai pour appeler aussi Meg Hammerstein, la spécialiste de la mémoire, qui me proposa de la rencontrer l'après-midi même. Gabriel accepta de venir garder ma mère pendant ce temps-là. J'avais beau être réticente à la placer, ça faisait du bien de passer ces coups de fil, de rayer des éléments sur ma liste. Gabriel était ravi que je mette enfin les choses en route.

J'étais en train de noter des questions à poser à Meg lorsqu'on frappa à la porte. C'étaient deux policiers en civil, avec leur insigne dans la poche et leur arme dans un holster, les mêmes qui m'avaient questionnée à propos du meurtre de Tori et qui étaient revenus m'interroger sur Del. Ils se présentèrent de nouveau – inspecteurs Stone et Weingarten. Je discutai avec eux sur le seuil, tandis que ma mère mangeait ses flocons d'avoine dans la cuisine.

Stone prit la parole :

— Il paraît que vous êtes allée vous promener dans les bois.

C'était toujours lui qui parlait, l'autre ne semblait que prendre des notes.

— En effet. Et ?

— Étiez-vous dans les bois la nuit où Tori Miller a été assassinée ?

— Non, je vous l'ai déjà dit. Je suis restée à la maison toute la nuit, avec ma mère.

Il hocha la tête, puis haussa les sourcils.

— Avec votre mère, qui a des troubles de la mémoire.

— Elle a la maladie d'Alzheimer.

Ma voix tremblait un peu. Je m'efforçai de la contrôler.

— Parlez-nous du chat de votre mère.

— Magpie ?

L'absurdité de la question me prit par surprise.

— La jeune femme... Raven, elle nous l'a montré. Elle dit que vous étiez dans les bois quelques heures avant que l'on trouve le chat.

C'est là que je sortis de mes gonds :

— Attendez un peu, Raven croit que j'ai tué Magpie ? Super ! Et elle a mentionné un mobile ? Je suis en bonne place dans son testament, peut-être ?

Ils me dévisageaient, impassibles.

— Écoutez, je l'aimais bien, cette pauvre bête, conclus-je sans conviction.

— Avant-hier soir, il semblerait que votre mère ait appelé les services d'urgence et rapporté que vous aviez fait du mal à son chat. Elle a dit aussi que vous

179

connaissiez la jeune fille qui a été tuée. Vous connaissiez Tori Miller ?

— Non ! Je n'en avais même jamais entendu parler ! Ma mère est malade et très désorientée. Combien de fois devrai-je vous le répéter ? Enfin, vous l'avez vue ! Vous ne vous êtes pas rendu compte qu'elle souffre de démence ? Elle parlait de Del Griswold. Elle disait que j'avais connu Del il y a trente ans !

— Parlez-nous encore de vos relations avec Delores Griswold.

C'était reparti. On en revenait toujours à Del.

J'inspirai et repris mon calme.

— Il n'y a rien à dire. Elle habitait au pied de la colline. Nous prenions le bus ensemble. C'est tout.

— Une dernière chose, mademoiselle Cypher. Vous possédez un couteau suisse ?

Je songeai un instant à mentir, mais cela me sembla stupide.

— Oui. Il est dans mon sac à main.

— Ça vous ennuierait d'aller le chercher ?

— Pas du tout.

Mon sac se trouvait sur la table de l'entrée et je me mis à fourrager dedans. Poudrier. Clés de la voiture de location. Clés de chez moi. Téléphone portable, totalement inutile dans les collines du Vermont. Chewing-gums à la menthe. Quelques stylos.

— Je suis sûre qu'il y est. On dirait qu'il y a tout là-dedans, à part l'évier de la cuisine.

Pas de réaction. La blague était nulle de toute façon.

J'ouvris la fermeture Éclair d'une poche que je n'utilisais presque jamais, ayant senti quelque chose de dur au fond. Le couteau, forcément. Mais ce que je vis faillit m'arracher un cri.

— Vous l'avez, mademoiselle Cypher ?

— Non, il n'a pas l'air d'être là.

J'avais les mains qui tremblaient un peu à présent. La droite était enfoncée dans mon sac – et je priai pour que les détectives ne l'aient pas aperçu, parce que si c'était le cas j'avais tiré la carte « Allez directement en prison, ne passez pas par la case départ ».

Nichée dans la poche latérale de mon sac en cuir, la vieille étoile argentée de Del.

« C'est moi le shérif de cette ville pourrie. »

Ma lèvre supérieure et mon front étaient humides de transpiration.

Respire. Sois naturelle.

— Est-ce que ceci pourrait être votre couteau ? demanda Weingarten en me montrant un sac en plastique contenant un petit couteau rouge.

— Je ne sais pas. Ça lui ressemble. Peut-être. Mais je laisse toujours le mien dans mon sac à main.

Et il n'y est plus. Il a été remplacé par l'étoile de Del. La personne qui m'avait pris le couteau m'avait-elle donné l'étoile ? C'était un coup monté ? Et depuis quand exactement mon couteau avait disparu ? Depuis quand je trimbalais cette étoile ?

Respire. Surtout, pas de panique.

— En tout cas, nous allons procéder à des analyses sur le couteau.

— Des analyses ?

— De sang. Pour être sûrs qu'il n'y a que du sang de chat dessus. Mademoiselle Cypher, consentez-vous à ce que nous prenions vos empreintes ?

181

— Quoi ? Non ! Enfin, ce serait une perte de temps ! Tout cela est absurde. Je n'ai pas tué la chatte, même s'il s'avère qu'on a utilisé mon couteau.

Mais c'est la vieille étoile de shérif de Del que je tiens là, au moment même où nous parlons.

— Si nous trouvons quoi que ce soit qui relie cette arme au meurtre de Tori Miller, il faudra bien qu'on vous emmène au poste prendre vos empreintes, j'en ai peur, dit Stone.

Je sortis lentement la main du sac, après m'être assurée que l'étoile était enfouie dans le recoin le plus profond et le plus sombre de la poche, puis refermai soigneusement la fermeture Éclair.

Était-on en train de me piéger ? Si oui, jusqu'où le meurtrier était-il allé ? Mon petit couteau de citadine branchée avait-il servi à découper un morceau de peau de Tori Miller ?

Je frissonnai involontairement.

— C'est tout, messieurs ? Je dois retourner auprès de ma mère.

— Nous vous contacterons, dit Stone.

Les bureaux des professeurs de la fac se trouvaient dans un petit bâtiment de briques recouvert de lierre, et je cherchai celui de Meg Hammerstein, tout en essayant désespérément de ne pas penser à la disparition de mon couteau, ni à la présence de l'étoile de la morte dans mon sac, quand je vis ce nom sur l'une des portes : ZACHARY MESSIER.

« Trouve Zack, Adjointe. »

Eh bien, il était là, et j'avais plutôt l'impression que c'était lui qui m'avait trouvée.

Je jetai un œil par la porte légèrement entre-bâillée et vis, assis derrière un bureau, un homme arborant une calvitie naissante et une barbiche. Ses cheveux, autrefois d'un auburn vif, étaient ternes et grisonnants, mais il les portait toujours longs, en queue-de-cheval. Il s'était remplumé au fil des années et avait tout du prof de fac : chemise blanche à col ouvert, veste en velours côtelé marron clair avec des pièces aux coudes. Seul un grand médaillon rond en argent accroché à son cou par un lacet de cuir détonnait avec son nouveau statut.

— Zack !

— Bonjour ! répondit-il avec un sourire, tout en examinant mon visage, cherchant à mettre un nom dessus.

Il regardait par-dessus des petites lunettes rectangulaires perchées au bout de son nez.

— Je suis Kate, la fille de Jean Cypher.

— Ah, mais oui, bien sûr ! Raven m'a dit que tu étais en ville. Entre, je t'en prie, fit-il avec un sourire chaleureux.

Je pénétrai dans le bureau minuscule. Le mur du fond était recouvert d'étagères qui s'affaissaient sous le poids des livres. Ceux qui n'y avaient pas trouvé de place étaient empilés sur le bureau et par terre – la plupart semblaient traiter de la guerre d'Indé-pendance. Quelques diplômes encadrés étaient accrochés au mur, ainsi que la photo d'un groupe sur un voilier. Il avait drôlement fait du chemin depuis son passage à New Hope ! Je remarquai aussi un mandala élaboré et dans un coin, à côté du bureau, une guitare. Peut-être ne change-t-on pas vraiment, malgré les diplômes, les cheveux grisonnants et les vêtements bien coupés.

Il se leva, et le médaillon se balança un peu lorsqu'il se pencha pour me prendre la main et la tenir bien serrée dans les deux siennes.

— Je suis vraiment content de te voir, Kate.

Ses mains étaient aussi chaudes que son sourire.

— Je n'ai qu'une minute. Je suis venue rencontrer Meg Hammerstein.

Je restai plantée, gauche, attendant qu'il me libère. Lorsqu'il le fit, il me désigna la chaise vide en face de lui et je m'y assis.

— Comment va ta maman, Kate ?

Je regardai discrètement sous le bureau et fus soulagée de voir qu'il portait des chaussures. Des mocassins noirs bien cirés et brillants.

— Mmm, pas trop bien. Je viens chercher des conseils auprès de cette Meg. Raven me l'a recommandée.

— Meg est géniale. Elle te sera d'une grande aide.

Il soupira, se pencha sur son bureau, mit une main sur son cœur et de l'autre prit la mienne. Il soutint mon regard de ses yeux bleus humides et sincères, au blanc légèrement injecté de sang.

— Je suis vraiment navré pour Jean. Je monte la voir de temps en temps mais j'ai été tellement débordé de travail ces dernières semaines que je n'ai pas pu.

Je fis un signe de tête compréhensif.

Un sac de cookies était posé sur son bureau. Il vit que je le regardais et m'en offrit un, que je refusai. Il se servit.

— Tu es sûre ? Flocons d'avoine et pépites de caroube. Je suis accro.

Je refusai à nouveau.

— Je ne savais même pas que tu étais en ville. Je te croyais au Canada, dis-je.

— J'y suis allé. Lorsque je suis parti du Vermont j'ai traîné mes guêtres un peu partout et j'ai fini par atterrir à Halifax, où j'ai été apprenti dans un chantier naval. Au bout de quelques années, j'ai décidé de reprendre mes études et je suis allé à Toronto. J'y ai enseigné après avoir obtenu mon doctorat. Je suis resté là-bas jusqu'à deux ans environ, quand j'ai vu une annonce pour ce poste. Comme si c'était lui qui m'avait trouvé et m'avait dit qu'il était temps de rentrer à la maison.

— New Canaan doit te sembler plutôt mort après Toronto.

— Au contraire. C'est la meilleure décision que j'aie prise. Je regrette seulement d'avoir attendu si longtemps.

Je hochai la tête, puis mes yeux se posèrent sur la photo du voilier.

— C'est ma mère, sur le voilier, avec toi ?

Il sourit, décrocha le cadre argenté et me le passa pour que je l'examine de plus près. Sur le pont, les cheveux ébouriffés par le vent et les joues brûlées par le soleil, se tenaient Zack, Raven, Opal et ma mère.

— On l'a prise l'année dernière. Ah, ce qu'elle adorait naviguer ! Elle s'éclatait vraiment. En plus elle était bon marin. Dommage que tu ne l'aies pas vue.

— C'est ton bateau ?

Il sourit fièrement.

— Il est amarré sur le lac Champlain. Tu sais comment je l'ai appelé ? *Hope Floats*. En hommage à New Hope. Gabriel était tout content, mais je n'ai pas pu le convaincre de venir naviguer. Trop bourgeois, sans doute.

Ma mère ne m'avait jamais parlé de ces virées en bateau. Je ne savais même pas que Zack était revenu, encore moins qu'il emmenait ma mère faire de la voile sur le lac Champlain. Combien d'autres détails de sa vie ignorerais-je désormais, partis à jamais ?

— Alors, Raven et toi vous vous connaissez bien ?

— Elle est formidable. Elle prépare un diplôme de psychologie, tu sais. D'ailleurs, elle suit un de mes cours. Elle vient m'emprunter des livres et me soutirer des idées. C'est elle qui a fait les cookies. Tu es sûre que tu n'en veux pas ?

Toujours pas. Zack en prit un autre.

— Quant à Opal, reprit-il, c'est une sacrée gamine. Je me suis fait beaucoup de souci pour elle depuis le meurtre de sa copine. Comment va-t-elle ?

— Pas terrible. Raven a pris rendez-vous avec un psychiatre.

— Mon Dieu, quelle épreuve, vraiment ! Il faudrait que je passe les voir et que je leur demande si je peux faire quelque chose.

Il épousseta les miettes de sa barbiche.

Je regardai son collier, qui me fit penser à un petit réveil ou à une montre de gousset. Il était assez épais pour contenir des petits mécanismes et il me semblait apercevoir un fermoir au-dessus.

Il suivit mon regard et me tendit le pendentif.

— Superbe, hein ? Ça représente la roue de la Vie. C'est tibétain.

Trois cercles concentriques divisés par des rayons étaient gravés sur la face du médaillon. Le cercle extérieur avait douze rayons, le suivant, six, et le dernier, deux. Au centre on voyait un serpent, un cochon et un coq. À l'intérieur de chaque division d'autres images étaient gravées : un potier, un singe cueillant des fruits, une femme en train d'accoucher, et divers dieux et humains engagés dans des actions que je ne pus identifier au cours de ce trop bref examen.

— Le cercle extérieur représente les douze liens de causalité, me dit-il.

J'acquiesçai, comme si j'avais la moindre idée de ce à quoi il faisait allusion.

— Et ici, dans ce cercle, nous avons les six royaumes de l'existence : les dieux, les titans, les humains, les animaux, les fantômes affamés et l'enfer.

Mon œil fut attiré par l'image des fantômes affamés : trois créatures disgracieuses au long cou mince et au regard désespéré blotties les unes contre les autres.

— Les fantômes affamés ?

— Ceux qui, après la mort, sont si attachés par le désir à ce monde qu'ils demeurent des fantômes, avides de la nourriture et de la boisson qu'ils ne peuvent savourer.

— Dur, dur !

Il eut un petit rire.

Je remarquai alors qu'au-dessus de la roue elle-même il y avait un horrible visage avec des crocs et des yeux furieux.

187

— Et lui, c'est qui ?

— Le dieu de la Mort. C'est lui qui tourne la roue.

— Alors c'est la mort qui tourne la roue de la Vie ? Ce n'est pas d'une ironie cruelle ?

— En fait, ce n'est pas aussi macabre que ça semble.

Même avec un doctorat et une carte de membre du yacht-club local, un hippie restera toujours un hippie. Je ne pus m'empêcher de sourire.

— Zack, je peux te poser une question qui te paraîtra sans doute étrange ?

— Vas-y. Mais il n'y a pas grand-chose que je trouve étrange, ces temps-ci. Je suis un ancien de New Hope !

Il me fit un clin d'œil et se cala au fond de sa chaise. Le garçon nerveux que j'avais connu dans mon enfance était-il vraiment devenu cet homme si charmant, si désireux de plaire ?

— Tu pourrais me parler de Nicky Griswold ? Il a fait un truc très bizarre, il m'a laissé un message disant que je devais te trouver. Tu vois une raison à ça ?

La mâchoire de Zack se crispa un peu et il prit une inspiration. J'avais touché un point sensible. Il se leva et alla fermer la porte. J'eus un peu l'impression d'être la mauvaise élève dans le bureau du principal.

— Que disait le message ? me demanda-t-il, la tête penchée, les sourcils levés.

— « Trouve Zack. » C'est tout.

Il rassembla ses pensées un instant avant de poursuivre. Pendant ce temps, il semblait examiner les livres sur les étagères comme si ceux-ci détenaient les réponses qu'il cherchait.

— Ce pauvre Nick ! dit-il enfin, plaçant de nouveau une main sur sa poitrine, mais l'autre cette fois sur le buvard de son bureau. Mon cœur va vers lui, vraiment. Mais je ne peux plus m'impliquer. Le passé est le passé, et il faut qu'il laisse aller les choses, qu'il fasse son propre chemin. Il vient me voir de temps en temps, il me demande d'aller boire un verre avec lui. Je l'ai fait quelquefois, en souvenir de notre jeunesse, tu vois ? Je n'aurais sans doute pas dû, mais je l'ai fait. Je lui ai peut-être envoyé un message erroné.

— Quel message ?

— Tu sais… (ses oreilles prirent la teinte cramoisie que je connaissais bien)… que j'étais toujours… euh, intéressé. Nicky est un type formidable. Je l'aime bien, vraiment. Et je ne dis pas que je regrette ce qui s'est passé à l'époque, mais bon, on était des gosses.

Je m'efforçai de comprendre ce qu'il voulait dire, pas tout à fait prête à atteindre la conclusion vers laquelle il me guidait.

— Attends, tu es en train de me dire que vous avez eu une liaison ?

Le visage entièrement rouge maintenant, Zack me fixa un instant. Puis il eut un rire nerveux et secoua la tête.

— Zut ! Je croyais que tu étais au courant. Je n'avais pas l'intention de te choquer. Disons que ça a fait partie de ma période « amour libre ».

Il sourit du coin des lèvres, puis détourna prestement le regard pour fixer sa guitare. Était-ce le même instrument après toutes ces années ? La guitare sur laquelle il jouait ses sérénades pour ma mère, lorsque nous vivions dans le tipi ?

189

— Désolé, Kate, j'étais sûr qu'il te l'avait dit. Vous avez été proches pendant un moment. Je te croyais au courant.

— Pas le moins du monde.

Il tripota sa barbiche.

— J'avais dix-neuf ans. Je pensais que la bisexualité était une autre façon de libérer l'esprit. De se débarrasser des notions préconçues de genre et d'identité. D'équilibrer le masculin et le féminin, le yin et le yang. Bon sang, on était en 1971. C'était branché à l'époque.

Je fis un signe de tête compréhensif. Je ne suis pas quelqu'un de borné. Je ne trouvais pas l'idée de Zack et de Nicky couchant ensemble dérangeante, mais je tombais des nues. Que Nicky fût déterminé à garder cela secret me sembla logique, mais en même temps je me sentis un peu blessée.

— Del était au courant, pour vous deux ?

Tout en posant la question, j'entendis la voix de Del : « Carrément affreux. »

— Oui, elle nous a surpris un jour. Pauvre petite. Je pense que ça l'a terrifiée. Puis, quand elle a compris, elle s'en est servie. Pour le faire chanter, en fait. Elle connaissait son grand secret et l'a utilisé contre lui de toutes les façons possibles. Elle luttait vraiment pour trouver sa place, tu ne crois pas ?

J'acquiesçai, et me mordis la lèvre en me demandant jusqu'où Nicky serait allé pour empêcher Del de révéler son secret.

— Je peux te poser une autre question ? dis-je d'une toute petite voix timide, ma voix de fillette de dix ans.

— Pourquoi pas ? Nous avons déjà sorti pas mal de squelettes du placard. Façon de parler.

— Est-ce que ma mère était au courant, pour Nicky et toi ?

Il hésita, semblant peser le pour et le contre. Après tout, c'était de ma mère que nous parlions. Jusqu'où peut-on aller lorsqu'on évoque les secrets intimes de la mère de quelqu'un ?

Enfin, toujours est-il qu'il se décida à tout me révéler.

— Bien sûr. Elle trouvait ça sexy. Elle disait que ça lui était égal que j'aille avec un mec, mais que si je couchais avec une autre femme, ce serait terminé. Elle ne voulait pas revivre ce qu'elle avait connu avec Élan Paresseux.

Voilà que sa main chercha encore la mienne par-dessus le bureau.

— Kate, reprit-il, ta mère était une femme épatante. J'étais fou d'elle à l'époque. Je sais que ça ne te plaisait pas beaucoup et je le regrette. Je n'ai jamais eu l'intention de faire de la peine à qui que ce soit. J'essayais juste de suivre mon cœur, tu comprends ?

Il toucha de nouveau son médaillon.

Tout en pensant que le cœur n'était pas le seul organe que Zack suivait à l'époque, j'acceptai ses excuses. Ce n'était pas un si mauvais bougre après tout. Un peu trop tactile à mon goût, mais je le crus sincère et il remonta un peu dans mon estime.

Un coup d'œil à ma montre, et je vis que j'avais dix minutes de retard pour mon rendez-vous.

— Il faut que j'y aille, lui dis-je en me levant. Meg doit m'attendre.

— Ça a été un plaisir, Kate. Transmets mes amitiés à ta mère. J'irai la voir bientôt. Promis.

Il fit le tour du bureau pour me serrer dans ses bras, dégageant un léger parfum de santal et de marijuana. Il me donna une très longue accolade, comme les aiment les hommes sensibles. Je ne pus m'empêcher d'avoir un léger mouvement de recul.

Mon rendez-vous avec Meg ne se déroula pas trop bien. À ses yeux, j'en suis sûre, c'était moi qui avais des problèmes de mémoire. Pendant tout le temps de l'entretien, je me demandai qui avait bien pu mettre l'étoile de Del dans mon sac et songeai à l'aventure de jeunesse de Zack et Nicky. Je dressai une liste de toutes les personnes ayant eu accès à mon sac : ma mère, Raven, Gabriel, Opal, Nicky. Quelqu'un aurait pu l'avoir fait tomber dedans lorsque je faisais les courses chez Haskie. Mais qui ? Et pourquoi ?

Tandis que Meg me parlait d'un « établissement spécialisé », ce qui je pense voulait dire maison de retraite, je me surpris à repenser au jour où j'avais vu Zack sortir de la cabane, le même où Nicky m'avait embrassée. Après avoir flirté avec Zack quelques instants auparavant. Et Zack était retourné au tipi pour coucher avec ma mère. Tout cela m'étourdissait. Et me ramenait toujours à la question originelle : pourquoi Nicky voulait-il que je sois au courant de tout ça ? Culpabilité ? Besoin de révéler ce secret gardé pendant si longtemps dans l'espoir de gagner ma confiance ? Et y avait-il d'autres secrets qui attendaient de montrer leur sale petite tête ?

Je pensai au dieu de la Mort, avec ses crocs et ses yeux menaçants, qui nous faisait tous tourner comme sur une gigantesque roulette : les dieux et les titans, les mortels et les fantômes affamés, Zack et Nicky, ma mère et moi, Opal et Raven.

Faites vos jeux, rien ne va plus...

Lorsque Meg suggéra timidement que nous déjeunions ensemble la semaine suivante, j'acceptai, soulagée. Je savais que l'état de ma mère était grave, mais je me sentais incapable d'y consacrer toute mon attention à ce moment précis. Je la remerciai et pris le chemin du retour.

Je trouvai Gabriel et ma mère dans la cuisine, en train de confectionner un plat de lasagnes. Ma mère était assise à table, et battait des œufs pour y incorporer le fromage que Gabriel râpait. Elle travaillait au ralenti, examinant les œufs comme quelque chose de complètement déroutant. Peut-être réfléchissait-elle à la fameuse question de savoir qui vient en premier, l'œuf ou la poule. Ou alors elle se rappelait le temps où nous allions toutes les deux jusqu'au pied de la colline chercher des œufs dans l'abri bancal des Griswold.

« *Élan Paresseux dit qu'ils ne sont pas bons parce qu'il y a un petit filament de sang, mais c'est juste qu'ils sont fertiles.* »

Gabriel portait un pantalon de survêtement avec des bretelles, une chemise de flanelle usée et un chapeau de feutre vert déformé.

— Alors, voyons, Jean. Qu'est-ce qu'on fait maintenant ? demanda-t-il pour lui laisser les rênes, ou du moins lui en donner l'illusion.

Comme elle ne réagissait pas, il tendit l'assiette contenant le parmesan râpé, un sourcil levé.

— Le fromage, dit ma mère.

— Mince alors, tu es toujours la meilleure cuisinière sur cette colline, lui dit-il en claquant un baiser sur sa joue creuse.

— Vous ne devinerez jamais sur qui je suis tombée à la fac, dis-je.

— Est-ce que ça ne serait pas le jeune et tristement célèbre Zachary Messier ? demanda Gabriel.

— Est-ce qu'il y a une seule chose que tu ne saches pas ?

— Des tas, mon petit, des tas. Et comment va le professeur ?

— Bien. Ça m'a fait plaisir de le voir.

— Je suis si content qu'il soit revenu. C'est grâce à lui que Raven a repris des études, tu sais. Elle avait besoin d'un coup de pouce, et il le lui a donné. En plus, il a une très bonne influence sur Opal.

— Zack…, fit ma mère, un sourire hébété flottant sur son visage. Il était avec moi quand la fille des Griswold a été tuée. Pauvre petite !

Grand bien te fasse, pensai-je. Même si je l'avais mal jugé à l'époque, je n'étais toujours pas à l'aise à l'idée de Zack entre les draps de ma mère, avec ses pieds crasseux et son odeur de bois de santal.

— Vous savez, c'est drôle, repris-je. Le fait de parler à Zack m'a un peu déstabilisée. J'ai eu l'impression que je ne le connaissais pas du tout, en fait.

Ma mère rit tout fort et me fit un petit signe de tête.

— Tu avais dix ou onze ans la dernière fois que tu l'as vu, Kate, m'expliqua Gabriel. Tu avais beau être une enfant perspicace, il y a des tas de choses qui te sont passées au-dessus de la tête. Même aujourd'hui, il y a des choses qui nous passent au-dessus de la tête, à tous. On croit connaître quelqu'un et puis on apprend quelque chose qui fiche tout en l'air. C'est ça qui est intéressant, tu ne trouves pas, Sauterelle ?

Gabriel me regardait d'un air soupçonneux, les yeux étrécis. J'étais sûre que Raven était allée lui faire part de ses doutes et je me demandais s'il me considérait comme suspecte dans la mort de Magpie. Bon sang, ils croyaient peut-être tous les deux que j'avais tué Tori Miller par-dessus le marché.

S'ils savaient ce qu'il y avait dans la poche de mon sac à main…

Il fallait que je trouve un moyen de me débarrasser de cette étoile. Le plus tôt serait le mieux. *Ce soir*, pensai-je. *Je m'en occuperai ce soir.*

— Sans doute, répondis-je. Je me change et je viens vous donner un coup de main.

— Hé, regarde un peu la peinture de ta mère. Elle a travaillé dessus presque tout l'après-midi. J'ai dû la faire arrêter et lui augmenter ses médicaments. Hein, Jean ? J'ai trouvé que tu avais trop travaillé et que tu étais un peu énervée. Mais ça va mieux maintenant, n'est-ce pas ?

Pour aller mieux, ça allait mieux. Elle était tellement défoncée qu'elle en bavait presque.

À peine entrée dans l'atelier, je lâchai mon sac. On ne pouvait pas s'y méprendre, même dans la lumière faiblissante. Le tableau était plus coloré à présent, avec des teintes nouvelles de rose, de violet et de bleu. Et, dans le coin gauche, il y avait maintenant une paire d'yeux, bien distincte. Des yeux gris-bleu. Des yeux qui regardaient droit devant eux mais qui semblaient vous suivre où que vous alliez. Comme ceux du Christ dans les peintures sinistres de la Cène sur fond de velours. Des yeux qui voyaient tout. Pas de visage pour aller avec, juste des yeux sortant des flammes, qui vous fixaient.

— Maman ! Maman, tu peux venir voir ?

Ma mère arriva sur le seuil, suivie de Gabriel.

— Qui est-ce, maman ?

Elle se contenta de sourire au tableau.

— Qui est-ce, là, dans la peinture ?

Son sourire s'agrandit et elle s'esclaffa. Ce n'était pas le rire d'une femme de soixante-douze ans. Elle se couvrit la bouche de ses mains. Mais le son qui en sortit était le gloussement aigu d'une petite fille. Elle ne pouvait plus s'arrêter. Des larmes coulaient sur son visage et son fou rire continua jusqu'à ce qu'elle n'ait plus de souffle et que Gabriel l'éloigne, non sans me lancer un regard irrité. Il l'emmena dans la cuisine et lui administra de nouveau une bonne dose de tranquillisants.

11

16 juin 1971 et pendant l'automne 1973

« Le corps de Delores Ann Griswold, douze ans, a été découvert par son frère Nicholas aux environs de 19 heures. » Voilà comment le bulletin de onze heures des infos locales annonça la nouvelle. Nous n'avions pas la télévision dans le tipi mais il y avait un poste dans la grange principale, et tout New Hope était rassemblé autour. À cette heure-là, les policiers avaient déjà effectué la première de leurs nombreuses visites à New Hope, pour savoir si quelqu'un avait vu Del dans la journée et où chacun se trouvait durant l'après-midi. J'avais dit que je ne l'avais vue qu'à l'école. Je ne leur avais pas raconté ce qu'il s'y était vraiment passé. Ils savaient qu'elle avait été harcelée, mais ils n'avaient aucune idée des proportions que ça avait pris. Ni que c'était moi qui, en la poursuivant, l'avais ramenée vers la ville, droit dans les bras de son meurtrier. Les enquêteurs ne voulurent pas nous dire ce qui était arrivé, mais lorsqu'en descendant la route nous vîmes la rangée de voitures de police, tous gyrophares allumés, devant la ferme des Griswold, nous sûmes que c'était grave.

Quand la photo de Del remplit l'écran, ma mère m'entoura de ses bras.

— Vous étiez amies, Sauterelle ?

— Hon, hon, fis-je en secouant la tête, la reniant dans la mort aussi systématiquement que je l'avais fait dans la vie. On attendait le bus ensemble, c'est tout.

Je m'agenouillai juste devant l'écran, à l'endroit où ma mère m'interdisait toujours de m'asseoir, de peur que ça ne m'abîme les yeux. Cette fois, elle s'abstint de toute mise en garde. Sur cette photo d'école, Del portait un grand chemisier à manches ballon, au col cravate maladroitement noué. C'était manifestement un corsage de dame, qu'elle avait dû trouver au fond d'un placard, et qui avait appartenu à sa mère ou même à sa grand-mère. De près, je vis que la photo de Del était composée de centaines de points minuscules, de pixels noirs et blancs qui avaient parcouru les airs pour atterrir dans notre téléviseur. Et j'eus la sensation curieuse de me disloquer moi aussi de cette façon, de me désintégrer en millions de particules que personne ne pourrait reconstituer pour reformer une fillette de dix ans.

Le journaliste dit que M. Ralph Griswold avait envoyé Nicky à la recherche de Del, qui n'était pas là à l'heure du dîner. L'école avait déjà appelé pour signaler que Del avait séché les cours et n'était pas venue chercher son diplôme de fin d'année.

Il ne donna aucun détail sur sa mort, sauf que c'était clairement un homicide. Plus tard, on apprit qu'elle avait été retrouvée nue. Les rumeurs naquirent aussitôt et continuèrent pendant des décennies. On disait que Del avait été décapitée. Que son corps avait été découpé en morceaux. Qu'elle avait été pendue par les pieds, la gorge tranchée comme un daim. L'assassin lui avait ouvert le ventre et avait placé une pomme de terre crue à l'intérieur. C'était son frère qui avait fait le coup. Non, son père. Non, plutôt un des tarés de New Hope.

En réalité, quelle que fût la rumeur de la semaine, le sentiment sous-jacent était le même : à quel destin pouvait-on s'attendre pour une fille comme Del, sale, forte en gueule, toujours à courir par monts et par vaux, et probablement à moitié attardée ?

La police trouva presque tout de suite plusieurs suspects. D'abord le père de Del, parce que tout le monde savait qu'il battait ses enfants (il avoua lui avoir administré une correction la veille de son assassinat) et que la police avait trouvé une de ses salopettes, trempée de sang, au fond du panier à linge. Les inspecteurs le relâchèrent lorsqu'il fut prouvé que ce n'était que du sang de cochon. Puis Nicky, parce qu'il semblait la personne la plus proche de Del. On l'arrêta à cause de la marijuana cachée dans sa chambre et il fut envoyé en maison de correction pour avoir attaqué un des policiers. Puis Mike Shane, après qu'on eut découvert un paquet de lettres dans lesquelles il déclarait son amour pour Del, mais lui aussi fut vite relâché. Puis Zack, libéré lorsque ma mère confirma qu'il avait passé tout l'après-midi avec elle dans le tipi. Zack prétendit qu'un des policiers lui avait fait un clin d'œil lorsque son alibi fut vérifié. Puis ils arrêtèrent un homme qui se faisait appeler Élan Paresseux lorsqu'un collier trouvé dans un tiroir de Del s'avéra être de sa fabrication. Mais finalement, ce ne fut pas suffisant pour le garder : il était en route pour une foire artisanale à Middlebury au moment de la mort de Del, l'employée d'une station-service reconnut sa photo et confirma son alibi. Ils relâchèrent donc Mark Lubofski. Del avait dû voler le collier, présumèrent-ils. C'était bien son genre.

Élan Paresseux quitta la ville après cela, incapable de supporter les regards de suspicion constante – les habitants de New Canaan ne le laissèrent pas en paix, même si la police l'avait innocenté – et il ne donna plus jamais signe de vie. Juste avant son départ, il appela ma mère pour lui présenter ses excuses une fois encore, lui dire qu'il l'aimait, lui demander de partir avec lui. Elle lui raccrocha au nez, se disant sans doute que c'était la seule réponse qu'il méritait. Des années plus tard, lorsque Raven fut plus âgée, elle essaya de le retrouver et engagea même un détective privé. Mais pas de trace d'Élan Paresseux ni de Mark Lubofski nulle part. Le seul vol que j'aie jamais commis se transforma en quelque chose de bien plus énorme : ce n'était pas seulement un collier que j'avais dérobé ; j'avais arraché Raven à son père, en envoyant celui-ci vivre une vie anonyme là où personne n'avait entendu parler de New Hope, ni d'Élan Paresseux ou de la Patate.

Deux ans après le meurtre de sa sœur, à son retour du centre de détention de Brattleboro, Nicky finit par me raconter ce qu'il avait vu dans le grenier le soir où il avait trouvé Del. Nous nous étions rencontrés par hasard en ville une après-midi d'automne et nous nous étions assis sur les marches du magasin général, à boire des sodas. Nicky avait seize ans. Il paraissait plus gauche. Plus grand. Ce dont je me souviens surtout, c'est qu'il évitait de me regarder dans les yeux.

Nous nous vîmes de temps en temps au cours des années suivantes, mais ce fut la dernière fois que nous parlâmes avant mon départ.

— Elle était étendue sur le vieux matelas, bras et jambes en croix. Nue. Avec juste un cordon de cuir autour du cou. Le visage violacé, la langue qui sortait. Mais surtout il y avait les coups de couteau.

— Quels coups de couteau ?

— Ce fumier avait découpé un carré de peau sur sa poitrine. Comme s'il voulait ouvrir une porte vers son cœur. Il l'a emporté avec lui comme un putain de trophée.

Je me rendis compte alors que Nicky n'était pas au courant pour le tatouage. Apparemment, personne ne l'était, à part moi, Del et l'assassin. La police, après avoir interrogé toute la classe de CM2, me questionna sur ce que j'avais raconté à Ellie et Sam à propos d'un tatouage. Terrifiée, je leur dis que j'avais tout inventé, que ce n'étaient que des mensonges. En réalité, dis-je aux policiers, je la connaissais à peine, Del. Je voulais juste impressionner Ellie et Samantha. Je n'avais jamais vu de tatouage, ni même le bord d'un tatouage. Peut-être que Del m'en avait parlé une fois, mais moi, non, je ne l'avais jamais vu. Et de toute façon Del mentait tout le temps, on ne savait jamais ce qu'il fallait croire. S'il y avait eu un tatouage, je ne savais pas ce qu'il représentait. À l'époque, je présumai que les policiers l'avaient vu quand ils avaient trouvé le corps. Pourquoi avaient-ils besoin que je leur en parle ?

Après que Nicky m'eut parlé du morceau de peau manquant, je songeai à aller voir la police. J'y songeai, mais dans ma tête de douze ans, je me dis que j'avais trahi assez de promesses faites à Del Griswold. Je ne révélerais pas son secret. J'imaginais que je lui devais au moins ça.

Mais le soir, pendant des années, lorsque je fermais les yeux avant de m'endormir, je me retrouvais dans le cellier avec Del qui enlevait ses vêtements. « *Tu regardes ou quoi ?* » me demandait-elle. Et quand je levais les yeux du sol en terre battue, je voyais ce *M*.

« *Un mal qui fait du bien.* »

12

15 et 16 novembre 2002

Tous les élèves dirent à la police qu'ils avaient vu l'étoile épinglée sur la poitrine de Del le dernier jour d'école, mais elle n'était pas parmi les vêtements retrouvés bien pliés à côté de son corps. Et, bien sûr, elle ne se trouvait pas non plus dans sa chambre, à l'abri dans son tiroir à trésors à côté de l'oiseau mort, des lettres de Mike le Muet, de l'échantillon de peinture, et du collier bizarre fait de bouts de bois, de languettes d'aluminium et de cartouches de fusil de chasse. Il fut bien établi que Del n'était pas rentrée chez elle ce jour-là.

La théorie était que l'assassin était tombé sur Del peu de temps après qu'elle eut quitté l'école. Peut-être s'étaient-ils donné rendez-vous dans la cabane. Ou rencontrés par hasard sur le chemin. Peut-être même l'avait-il vue rentrer chez elle ce jour-là et lui avait-il proposé de la ramener en voiture. Quoi qu'il en soit, l'étoile argentée avait disparu, et la police soupçonnait le meurtrier de l'avoir prise, ainsi que le carré de peau découpé nettement sur son corps avec le vieux couteau à manche de plastique. Des trophées, pensait la police. Des souvenirs.

Mais aujourd'hui, après toutes ces années, c'était moi qui avais l'étoile, non ? Qui trimbalais cette importante pièce à conviction égarée dans mon sac à main et qui en touchais les pointes acérées, en laissant courir mes doigts sur le mot SHÉRIF gravé dessus.

Je savais qu'il ne fallait pas que je la garde trop longtemps, cependant. Elle m'accusait. J'avais menti à la police en disant que je ne connaissais pas bien Del. Mon couteau suisse aussi était une pièce à conviction dans le meurtre de la chatte et avait peut-être été utilisé pour tuer Tori Miller. Ça aurait l'air de quoi si la police découvrait que j'étais en possession de l'étoile de shérif ?

Je décidai de l'enterrer.

Je choisis de la faire reposer là où Del avait partagé son premier secret avec moi, dans l'ancien cellier. Je m'y rendis vers minuit, bien après que nous eûmes fini nos lasagnes, que Gabriel fut rentré chez lui et que j'eus enfermé ma mère dans sa chambre. Munie d'une lampe de poche et d'un déplantoir, je traversai les bois, puis l'ancien champ et la pâture, pour arriver devant la lourde porte encastrée dans la colline, derrière l'ancienne ferme. Je posai une main hésitante sur la poignée métallique usée et je tirai. La porte s'ouvrit lentement en grinçant sur ses gonds, comme au cinéma.

Terre humide et fraîche. Étagères affaissées. Paniers pourrissants autrefois remplis de légumes depuis longtemps transformés en poussière. Conserves oubliées : tomates flottant comme des morceaux de peau, poires ressemblant à de minuscules fœtus. Et là, dans un bocal fêlé, la bougie que Del avait allumée pour éclairer sa poitrine et me montrer son secret.

L'air était confiné, saturé de l'odeur de terre humide et de pourriture. L'odeur de Del. Je retins mon souffle, dévalai les marches de bois usées, choisis un endroit au hasard sur le sol de terre battue, et me mis à creuser, avec la sensation horrible que Del était là, avec moi, tout le temps. Je pouvais presque la voir du coin de l'œil.

« *J'ai un secret à te montrer. Promets que tu diras rien.* »

Les mains tremblantes, j'enterrai l'étoile aussi profondément que je pus, piétinai la terre et enfin effaçai mes traces à l'aide d'un balai accroché au mur.

Je repartis au pas de course en direction de New Hope, trébuchant sur les racines et les cailloux, accompagnée par les battements de mon cœur qui résonnaient dans mes oreilles comme les pas de quelqu'un d'autre.

« *Tu m'attraperas pas.* »

Juste après avoir dépassé le virage qui menait à la cabane, je vis une lueur qui dansait devant moi le long du sentier. Je m'arrêtai net et observai un instant la lumière qui avançait dans la même direction que moi, sautillant d'avant en arrière. J'essayai de calmer ma respiration sifflante.

Del ?

Non, impossible. Del était morte depuis longtemps. Et je ne croyais pas aux fantômes.

Je rallumai ma torche et orientai le rayon lumineux devant moi, vers la lueur mystérieuse.

À mon grand soulagement, je constatai que ce n'était pas un fantôme ni un esprit mais une personne de chair et de sang, avec sa propre lampe de poche, vêtue d'un jean et d'un sweat-shirt sombre à la capuche remontée. Et dès que ma lumière toucha mon ou ma camarade d'exploration, il ou elle se retourna, puis prit ses jambes à son cou pour gravir la colline vers New Hope.

— Merde ! marmonnai-je.

Je piquai un sprint dans la côte, ma lampe dirigée sur le dos du coureur.

Certes, courir après un inconnu dans les bois où Tori Miller avait été assassinée quelques jours auparavant n'était sans doute pas une idée brillantissime, mais je savais qu'il me fallait reconstituer un peu du puzzle si je voulais sauver ma peau. Quelqu'un me tendait un piège. Peut-être le meurtrier, peut-être pas. Mais j'étais sûre d'une chose : il fallait une sacrée bonne raison pour aller se balader dans les bois à minuit. Le déplantoir dans ma main gauche me rappela la mienne. Je voulais savoir ce qui avait fait sortir mon ou ma camarade à cette heure tardive.

En tout cas, il ou elle était en forme. Je suis assez bonne à la course, pourtant j'eus du mal à garder le rythme et encore plus à gagner du terrain. Mais mon gibier trébucha et tomba, et je bénéficiai de précieuses secondes pour le rattraper. J'arrivai à sa hauteur juste au moment où il ou elle se relevait et j'agrippai le dos de son sweat-shirt, rejetant le pauvre bougre à terre avec un grognement.

Avais-je capturé l'assassin ? Ou quelqu'un qui jouait aux fantômes ?

Brandissant mon déplantoir comme un poignard, j'éclairai le mystérieux coureur.

Le faisceau lumineux tomba sur le visage d'Opal, qui laissa échapper un cri.

— Opal ? Bon sang ! Qu'est-ce que tu fabriques ici ? Tu m'as fichu une de ces trouilles ! criai-je en abaissant mon déplantoir.

Elle fondit en larmes. Je me penchai pour la réconforter et elle se jeta sur moi, m'agrippant de toutes ses forces.

Ce n'est qu'une enfant, pensai-je. *Pas plus vieille que Del.*

Et en la voyant accrochée à moi, je pensai à toutes les ressemblances entre Del et Opal. Elles étaient toutes deux maigrichonnes, avec une poitrine à peine naissante cachée sous leurs vêtements de garçon. Leurs cheveux étaient du même blond délavé. Et il y avait autre chose – quelque chose que je n'arrivais pas bien à définir –, une sorte d'énergie du désespoir commune à toutes les deux, un désespoir maquillé en charisme.

Je l'entourai de mes bras, prête à tout pour la protéger, et me souvins de la dernière fois où je l'avais tenue ainsi, deux ans auparavant, devant la grange principale, tandis qu'elle maintenait son bras sur son flanc comme un oiseau qui s'est cassé l'aile.

Il y a quelqu'un là-haut.

Opal sanglotait à présent.

— Je... croyais... que tu étais la... Patate.

Et moi je croyais que c'était toi.

207

— Là, Opal, ce n'est que moi, Kate, ma puce. Tout va bien, dis-je en la berçant comme un bébé. Mais qu'est-ce que tu fabriquais dehors à cette heure ?

— Je me baladais.

Non, pensai-je en revoyant les mouvements de sa lampe balayant le sentier, *tu cherchais quelque chose. Mais quoi ?*

— Et toi, qu'est-ce que tu fais là ? demanda-t-elle, s'écartant soudain de moi comme si elle venait de se rendre compte que cette bonne vieille tante Kate n'était peut-être pas ce qu'elle semblait être. Et ça, c'est pour quoi faire ? ajouta-t-elle en désignant le déplantoir plein de terre.

Qu'Opal ait peur de moi, voilà bien la dernière chose que je souhaitais. Mais je n'avais pas non plus l'intention de lui révéler la raison de mon expédition nocturne dans le cellier. Cette gamine me cachait quelque chose, et tant qu'elle ne se montrerait pas franche avec moi, je n'allais certainement pas lui dire quoi que ce soit qui pourrait m'incriminer.

— J'allais aux champignons.

Je compris trop tard l'absurdité de ma réponse. Je suis loin d'être une fille des bois. Je ne sais pas faire la différence entre une chanterelle et une amanite phalloïde, et je priai pour qu'Opal ne me soumette pas à un test sur les champignons de la Nouvelle-Angleterre.

À la lumière de ma torche, nous nous dévisageâmes d'un air sceptique, chacune bien consciente du mensonge de l'autre.

— Si on rentrait ?

Elle acquiesça, l'air soulagé. Nous nous mîmes à gravir la colline, côte à côte, nos lampes illuminant le sentier. De temps en temps, je ne pouvais m'empêcher de la regarder, pour me souvenir ensuite que ce n'était pas avec Del que je marchais.

— Kate ?

— Oui ?

— Tu es en pétard contre moi ? Pour la montre ?

— Non, pas du tout. J'étais surprise, c'est tout.

— Je te l'aurais rendue.

— Je sais. Et je te l'aurais prêtée si tu avais demandé. Ça t'arrive souvent de prendre des choses aux gens ?

Elle resta silencieuse.

— De temps en temps, finit-elle par répondre.

— Opal ? Tu m'as emprunté autre chose ?

Un couteau suisse, par exemple.

— Non, que la montre.

— Promis ?

— Je te le jure, dit-elle.

Et les mots qu'elle prononça ensuite me forcèrent à lui éclairer le visage comme dans les mauvais romans policiers.

Tu t'appelles vraiment Opal ? Ou bien es-tu en réalité Delores Ann Griswold, revenue d'entre les morts ?

— Si je mens je vais en enfer, dit-elle.

— Maman, ton tableau me donne un peu la chair de poule, avouai-je.

C'était le soir après le dîner. Devant son chevalet, ma mère ajoutait de nouvelles couches de peinture à sa toile, éclairée par la lampe. Nous avions passé la

209

journée ensemble chez elle – pas de rendez-vous, pas d'allusions aux maisons de retraite.

La seule interruption avait eu lieu plus tôt dans l'après-midi, lorsqu'en répondant à un coup frappé à la porte j'avais trouvé Zack sur les marches, un bouquet de fleurs à la main. Il portait un jean, des Birkenstock et une ample chemise de coton, brodée de ce qui semblait être des oiseaux mythiques, sous le même blazer en velours côtelé que l'autre jour.

— C'est pour Jean, dit-il dans une accolade en tendant le bouquet.

Cette fois, je crus que j'allais planer rien qu'avec l'odeur d'herbe qui se dégageait de ses vêtements. Il avait dû fumer dans la voiture en venant.

— Merci. Entre, elle est dans l'atelier. Je suis sûre que ça lui ferait plaisir que tu ailles lui faire un petit coucou.

Zack me suivit à l'intérieur et se dirigea vers l'atelier tandis que je mettais les fleurs dans un vieux bocal. J'étais en train de les arranger sur la table de la cuisine quand j'entendis un grand bruit.

Je me précipitai et vis Zack, le visage couleur de cendre, qui tirait soigneusement la porte derrière lui.

— Que s'est-il passé ?

— Apparemment, elle n'avait pas envie de compagnie.

Je vis que la manche gauche de sa veste était couverte de peinture rouge vif. Il la tamponna avec son mouchoir.

— Va dans la cuisine. Il y a du savon, de l'eau et une brosse sur l'évier. J'arrive tout de suite.

Zack se dirigea vers la cuisine, et je frappai à la porte de l'atelier avant d'ouvrir précautionneusement ; ma mère était en plein travail devant sa toile.

— Ça va, maman ?

— Très bien, Sauterelle.

Je refermai la porte doucement et allai dans la cuisine, où Zack frottait la manche de sa veste.

— Je suis désolée, lui dis-je. Elle n'est pas elle-même. On ne peut pas prévoir ses réactions d'une minute sur l'autre.

Je me dirigeai vers le coffret à médicaments tout en me disant qu'il faudrait que j'appelle le Dr Crawford dès le lendemain. J'avais l'impression que nous augmentions ses doses tous les jours sans beaucoup d'effet. Elle s'y accoutumait à une vitesse folle. Ou bien était-ce sa maladie qui empirait de façon dramatique ?

Je mis deux pilules dans ma poche pour les lui apporter dès que Zack serait parti.

— Pas de problème, Kate. Je n'aurais pas dû la surprendre comme ça. La prochaine fois, ajouta-t-il en souriant, je mettrai une combinaison. Et j'apporterai une bonne grosse cloche.

— Oh ! là, là ! Enlève ta veste que je la fasse tremper. Ou alors je vais la donner à nettoyer.

— Pas la peine. Je dois partir bientôt de toute façon.

Il tamponnait la tache avec des serviettes en papier.

— Kate, en fait, je suis surtout venu pour te parler d'Opal.

— D'Opal ?

— Mince, c'est un peu délicat. Raven est venue me voir dans mon bureau ce matin. Elle était dans tous ses états.

— Écoute, Zack, si c'est à propos de la chatte…

— De la chatte ? Non. Elle est ennuyée à cause de certains comportements récents d'Opal. Elle se fait beaucoup de souci et pense que ce n'est peut-être pas une bonne idée que tu passes du temps avec sa fille.

Je fronçai les sourcils.

— Raven t'a demandé de venir me dire ça ?

— C'est moi qui le lui ai proposé. Je craignais que si elle essayait de te parler, étant donné son humeur…

— Je vois.

— Écoute, Kate, je crois que Raven va se ressaisir. Elle est juste un peu énervée en ce moment, ce qui est compréhensible. C'est une mère stressée, qui essaie de faire pour le mieux. L'obsession d'Opal pour ces stupides histoires de la Patate la tracasse, et aussi le fait que sa fille semble s'être accrochée à toi à cause de ta relation avec Del.

— Opal et moi étions liées avant qu'elle ne s'intéresse à la Patate, répondis-je, sur la défensive. Elle s'est accrochée à moi lors de mon dernier séjour et ça n'avait absolument rien à voir avec Del.

— Je sais, Kate, dit Zack, les mains levées en signe de reddition. Ne tire pas sur le messager. Je comprends que ta relation avec Opal n'a pas seulement à voir avec Del. D'ailleurs, je crois qu'en fait tu as une influence positive sur Opal. Mais ça n'est pas ainsi que Raven voit les choses pour le moment.

— Opal a besoin de quelqu'un à qui parler.

— Je sais bien. J'essaierai d'être là pour elle autant que possible. Et Raven l'emmène voir un psychiatre la semaine prochaine, c'est la psy de la cellule de crise à l'école qui lui a donné ses coordonnées. Il paraît que c'est le meilleur de la région.

— Un psy va passer une heure avec elle, au mieux, et la fera entrer dans le monde merveilleux des psychotropes. Elle a besoin de quelqu'un avec qui parler vraiment en profondeur. Quelqu'un qui n'est pas payé pour l'écouter. Elle t'a raconté ce qu'elle a vu ? Elle croit que Del en a après elle, elle te l'a dit ?

Il prit une inspiration.

— Oui, elle me l'a dit. Je sais qu'elle souffre et qu'elle essaie par tous les moyens de trouver un sens à ce qui est arrivé à Tori. Je trouve aussi Raven excessive lorsqu'elle dit ne pas vouloir que tu passes du temps avec Opal, et je m'efforcerai de la faire revenir là-dessus, mais il me semble, du moins pour le moment, que le mieux est de respecter son désir. Je suis navré.

— Ce n'est pas grave, lui dis-je avec un soupir exagéré. Je devrais commencer à avoir l'habitude d'être considérée comme la méchante.

Zack sourit, et toucha sa roue de la Vie.

— Nous devons tous vivre notre karma du mieux que nous pouvons.

— Tu m'étonnes, répondis-je en regardant le médaillon, au sommet duquel le dieu de la Mort me fixait avec une grimace menaçante.

Les yeux du tableau de ma mère commençaient à être agrémentés d'un corps. Juste l'ombre d'une forme, en fait. Rien d'identifiable.

— J'ai presque l'impression que ces yeux me regardent, dis-je à ma mère.

— Elle te voit, confirma celle-ci, tout en tapotant la toile avec son pinceau.

— Qui ça ?

Ce petit jeu commençait à me fatiguer.

— Elle te regarde. Tu as quelque chose qui lui appartient. Elle veut que tu le lui rendes.

Une peur étrange d'un nouveau genre s'éveilla en moi, évoquant des choses impossibles.

— Je ne sais pas de quoi tu parles, maman.

Ma mère resta debout, le dos tourné, face à son chevalet. Elle courba les épaules, puis se redressa de toute sa hauteur, raide comme un soldat au garde-à-vous.

— Rends-lui, Adjointe ! cria-t-elle.

Cette voix, comme le rire de la veille, ne ressemblait pas à celle de ma mère. Il s'agissait d'une voix d'enfant. La requête insistante d'une fillette. La voix qui sortait de la bouche de ma mère était celle de Del.

Mais ça, bien sûr, c'était impossible. Est-ce que je devenais folle ? Est-ce que le stress de la semaine passée m'avait épuisée à ce point ?

— Quoi ?

Je reculai d'un pas, terrifiée, malgré toutes mes rationalisations, à l'idée que, lorsque son visage ridé se tournerait vers moi, ce serait les yeux pâles de Del qui me regarderaient.

— J'ai dit que tu devrais lui rendre, Sauterelle.

Sa voix était redevenue normale. Ses épaules retombèrent, détendues.

— Ce n'est pas comme ça que tu m'as appelée.

Ma voix tremblait.

Elle continua à peindre. Son corps était placé juste devant la toile, de sorte que je ne voyais pas ce qu'elle faisait.

— Comment tu m'as appelée, maman ?

— Sais pas. L'attaque a pris ma mémoire. L'attaque de l'incendie.

— Qu'est-ce que je dois rendre ?

Je m'efforçai de ne pas lui faire sentir ma panique ou ma frustration. J'avais mal entendu, voilà tout.

Ma mère se mit à rire, posa son pinceau et recula. Une lampe à pétrole était suspendue au-dessus du chevalet, et une bougie brûlait sur la table, à côté de sa palette en bois. La lumière vacillante illuminait la peinture, dansait dessus, la rendant encore plus vivante. Je remarquai quelque chose de clair et de brillant dans le coin gauche. Je m'approchai.

Ma gorge s'ouvrit et je sentis monter un cri rauque. Je portai ma main à ma bouche. Je clignai des yeux, sûre d'avoir des hallucinations. Impossible. Et pourtant, c'était là.

Là, sur le torse de la silhouette aux pâles yeux errants, ma mère avait peint une étoile argentée à cinq branches, où le mot SHÉRIF était inscrit en toutes petites lettres sombres.

Je fis le numéro en tremblant.

— Allô ?

— Nicky, c'est Kate. Il se passe quelque chose d'incroyable. Tu peux venir ?

Il se tut un instant.

— Ça veut dire que tu t'excuses ?

— Oui. Je suis désolée, j'ai été nulle. Je deviens cinglée ici. Il faut que je te parle.

— Je serai là dans un quart d'heure.

— Apporte du Wild Turkey.

— Et glou et glou, fit-il en raccrochant.

J'allai voir ma mère, elle dormait à poings fermés. Je fermai le cadenas afin qu'elle soit sécurisée pour la nuit. J'allai dans la cuisine et allumai quelques bougies, mis une bûche supplémentaire dans la cuisinière. De retour dans l'atelier, je me changeai et me brossai les cheveux. Quand j'aperçus mon reflet dans le miroir au-dessus de la commode je m'arrêtai net. Je n'étais pas seule. En haut à droite, je distinguai la silhouette dans le tableau de ma mère – ses yeux me regardaient. À cet instant, on frappa de façon insistante à la porte d'entrée. J'en sautai presque au plafond. Ce n'était que Nicky, bien sûr. J'avalai ma salive, pris la lampe et allai lui ouvrir.

Nous nous installâmes à la table de la cuisine. Je sortis du fromage et des crackers, et Nicky nous servit deux bourbons bien tassés.

Il s'était rasé, coiffé et avait mis une chemise blanche propre et repassée de frais qui lui donnait l'air tout à fait civilisé. Pour prouver qu'il était quand même un gars de la campagne, il portait aussi un blouson en jean aux coudes usés jusqu'à la trame et au col effiloché.

— Pourquoi tu ne m'as rien dit ? demandai-je, histoire de ne pas perdre de temps en bavardages inutiles.

— À quel sujet ?

Il me jeta un œil circonspect.

— Zack et toi. J'ai parlé avec lui hier et il m'a tout raconté.

— Qu'est-ce qu'il t'a dit au juste ?

— Suffisamment. Bon sang, j'ai l'impression que tu avais carrément une autre vie à cette époque-là, dont je n'avais aucune idée. Franchement, je ne me doutais de rien. Je croyais que c'était ton dealer.

— Exact, fit-il en regardant au fond de son verre.

— Mais il était plus que ça, n'est-ce pas ?

— D'une certaine façon, admit Nicky, les yeux toujours fixés sur le liquide ambré.

— Écoute Nicky, il se passe vraiment de drôles de trucs ici, et j'aimerais bien que tu sois franc avec moi pour une fois. Enfin, comment veux-tu que je prenne au sérieux tout ce que tu m'as raconté sur les fantômes si tu ne fais que me mentir ? J'ai besoin qu'au moins une personne soit honnête avec moi, poursuivis-je d'une voix qui commençait à trembler. Dans cette ville tout le monde a des secrets, empilés comme des poupées russes. Alors s'il te plaît, je t'en supplie, plus de mensonges !

— Je ne t'ai jamais menti.

Il regardait toujours au fond de son verre, qu'il finit par porter à ses lèvres et vider d'un trait.

— Je dirais que l'omission du léger détail à propos de Zack et toi compte pour un mensonge. Allez, Nicky. Raconte. Tu me dois bien ça.

Nicky se mordit la lèvre. Il chercha mon regard puis détourna les yeux, l'air coupable. Il se versa un autre verre, le but, et alluma une cigarette.

— Je suis pas pédé, tu sais.

217

— Nicky, on s'en fiche.

Je mis ma main sur la sienne.

— Pas plus qu'un autre. J'ai eu des copines, toutes ces années. Je suis jamais allé jusqu'au mariage, comme toi, mais une fois j'en ai pas été loin. Cette histoire avec Zack, c'était de la folie. Quand j'y pense aujourd'hui, ça ressemble à un rêve lointain. Comme si je regardais un film. Tu vois ce que je veux dire ?

Je hochai la tête. Je ressentais la même chose pour tant d'épisodes de ma vie. Toutes les aventures de Jamie, toutes ces années où j'avais joué la martyre sans défense.

— Il était dingue de moi, reprit Nicky en exhalant un nuage de fumée. Et je me suis laissé entraîner. Je croyais tout ce qu'il me disait. Que la sexualité n'était pas figée et que le fait d'être avec lui ne me rendait pas... enfin... homo. Il me lisait du Walt Whitman. Plutôt duraille pour un môme dont la seule distraction consistait à tirer sur des corbeaux et des écureuils. Quand j'y repense, je crois que c'était le danger, le fait que c'était mal, qui rendait tout ça si excitant. Ça n'est pas arrivé souvent, et chaque fois, je me disais que c'était la dernière, mais quand il débarquait et qu'il posait les mains sur moi, je pouvais pas refuser. Et la peur de se faire prendre rendait ça grisant, tu vois ? Tu comprends ?

Il me lança un regard humide et alcoolisé.

— Oui. Pourquoi tu me l'as jamais dit ?

— J'ai essayé. J'ai voulu le faire des dizaines de fois. Mais je ne voulais pas prendre le risque de te faire fuir. J'étais un petit peu amoureux de toi, à l'époque.

218

Les joues de Nicky rosirent et il me fit un sourire gêné.

— Je ne comprenais déjà pas moi-même, alors aller expliquer ça à la fille qui me faisait craquer...

Cette fois, ce fut moi qui rougis. Je serrai la main de Nicky, puis la lâchai.

— Et Del vous a surpris, dis-je en me versant un autre verre.

— Oui, elle nous a bel et bien surpris.

Il laissa échapper un soupir enfumé plein de regret.

— La petite peste était montée en douce à l'échelle pour nous espionner. Je m'étais même pas rendu compte qu'elle était là avant... enfin... avant qu'on ait fini.

— Et comment elle a réagi ?

— Bon Dieu, tu te souviens comment elle était ! Elle m'a menacé de tout raconter. Elle s'en est servie chaque fois qu'elle voulait arriver à ses fins avec moi. Et ça a marché pratiquement tout le temps.

— Mais elle t'a dénoncé ?

— Pas que je sache. Je pensais qu'elle te l'avait peut-être dit à toi, mais apparemment non.

— Nicky, est-ce qu'il y a autre chose que tu me caches ? Au sujet de Del ?

— Quoi, par exemple ? demanda-t-il d'un ton furieux, sur la défensive. Que je l'ai tuée ? Putain, Kate !

— Ce n'est pas ce que je veux dire.

— À ton tour, maintenant. Si tu me disais des trucs que je ne sais pas.

Je pris un morceau de cracker et une gorgée de bourbon. Je décidai qu'il était temps de tout avouer, de raconter à Nicky comment j'avais trahi sa sœur. Il m'avait enfin confié son secret, il était temps pour moi de lui dire le mien. Je commençai par le tatouage.

— Quoi, un *M* ? s'exclama Nicky en se redressant. Tu es sûre que c'était un *M* ? Tu sais ce que ça veut dire ? C'est un putain d'indice, probablement l'initiale du tueur. La police pensait que c'était quelqu'un qu'elle connaissait, avec qui elle se sentait en confiance.

J'acquiesçai. Puis je poursuivis. Je racontai à Nicky mon plan avec Ellie, mon idée d'agent double, comment tout ça s'était si mal terminé. Je ne cherchai pas à me trouver des excuses. Je décrivis le dernier après-midi de Del à l'école. Les yeux de Nicky s'emplirent de larmes, puis la rage les assombrit. Même si je craignais d'aller trop loin, de me l'aliéner, qu'il me considère comme une ennemie, il était trop tard et je continuai. Et malgré ma honte, j'étais soulagée de pouvoir enfin raconter mon histoire.

Je décrivis mes derniers moments avec Del, lorsque je l'avais poursuivie, une pierre à la main. Puis je fis un bond dans le temps, et lui expliquai tout ce qui s'était passé depuis mon retour à New Canaan : la disparition de la chatte et la découverte de son cadavre à côté du couteau que j'avais perdu, les empreintes dans la neige, le message en allumettes, la peinture de ma mère, l'étoile de shérif mystérieusement apparue dans mon sac à main. Je lui parlai d'Opal, qui disait avoir vu la Patate, de sa certitude d'être la véritable cible du tueur, et que je l'avais surprise deux fois en train de chercher quelque chose dans les bois. Je lui racontai la scène qui s'était déroulée un peu plus tôt dans la soirée, lorsque ma mère avait parlé avec la voix de Del, réclamant son étoile. Je lui dis que j'avais l'impression de devenir folle, que je ne croyais pas aux fantômes ni au surnaturel, mais que je ne trouvais plus d'explications rationnelles. Soit je perdais complètement la tête, soit ma vision concrète, scientifique et raisonnable du monde n'était en fait que des conneries. Tu parles d'une alternative !

Lorsque j'eus terminé, je versai deux doigts de Wild Turkey dans mon verre vide et le bus d'un trait. Ma main tremblait. Nicky ne me regarda pas. J'aurais voulu prendre son visage dans mes mains, le tourner doucement vers moi pour lire sa réaction dans ses yeux.

Il se versa une nouvelle rasade de bourbon et observa la flamme de la lampe.

Lorsqu'il parla enfin, ce fut d'une voix rauque, comme s'il était sur le point de pleurer ou de hurler. J'eus un peu la trouille.

— Tu sais qui lui a donné cette étoile, Kate ? Est-ce qu'elle te l'a dit ?

— Non, jamais.

— C'est le muet, Mike Shane. En tout cas, c'est ce que j'ai déduit. Elle m'a dit que le garçon qui la lui avait donnée était amoureux d'elle. Pour lui rappeler qu'elle était son étoile du berger, ou une connerie comme ça. Amour de gosse, tu vois ? Il lui a aussi écrit des petits mots. Le pauvre bougre ne pouvait peut-être pas parler, mais il savait écrire. Il déversait son petit cœur muet. Bon sang, Dieu sait qu'elle l'aimait, cette étoile. Elle se prenait vraiment pour le shérif, comme si elle lui donnait une sorte de pouvoir, tu vois.

« *Son talisman.* »

Il tripota son briquet, le tournant et le retournant entre ses doigts. Il avait des mains de mécanicien : doigts carrés, ongles noirs, lignes incrustées de graisse. Malgré tout, je me surpris à avoir envie d'être touchée par ces mains. D'être ramenée dans le passé.

— Je m'en souviens, dis-je en détournant mon regard de ses mains. Je me souviens aussi de Mike Shane. Tu sais ce qu'il est devenu ?

— Il paraît qu'il habite Burlington. Un de mes potes au garage connaît sa famille. De la vraie racaille de caravane, tous autant qu'ils sont. Sammy, mon collègue, dit que le père de Mike brûlait ses mômes avec des cigarettes, des trucs comme ça. Vraiment glauque.

— Oui, carrément. À l'école, il était aussi malmené que Del. Pas étonnant qu'ils aient été attirés l'un vers l'autre.

Nicky hocha la tête.

— Kate, j'aimerais bien voir la peinture de ta mère.

J'attrapai une bougie et l'emmenai dans l'atelier. Il alla se planter devant la toile, la bouteille toujours à la main, et scruta la silhouette dans les flammes. Je me tins derrière lui pour l'éclairer avec la bougie.

— Flippant, murmura-t-il.

Il fit un pas en arrière et se cogna à moi. Nous restâmes ainsi un instant, son dos appuyé sur moi, mon souffle dans son cou. Je savais que je devais reculer, battre en retraite tant que je le pouvais, mais c'était trop tard. Je me penchai en avant, me serrant contre lui, amenai ma main gauche sur son épaule en suivant le contour de son bras et entourai sa poitrine, où je sentis son cœur battre à toute vitesse à travers les plis souples du tissu, mais comme je glissais ma main dans sa veste, je sentis autre chose.

Des bretelles ? pensai-je tout d'abord, mais en suivant la courroie de nylon jusqu'à la bosse sur son côté gauche, je compris de quoi il s'agissait.

— Qu'est-ce que c'est que ça ?

— Pour ma protection, répondit-il en jetant le petit pistolet automatique sur le lit.

Je dois avouer que sa vue me procura un petit frisson. Que vous dire ? Il semblerait que j'aie un penchant secret pour les mauvais garçons qui trimbalent des armes à feu. Un cardiologue ne fait pas le poids devant un hors-la-loi.

— Contre moi, pauvre petite sans défense ? murmurai-je dans sa nuque, les mains sur les bretelles du holster.

— On n'est jamais trop prudent.

Mes doigts défirent le premier bouton de sa chemise, puis le deuxième. Je glissai la main sous sa chemise, caressant doucement son téton droit.

— Tu as bien raison, dis-je. Tu n'aurais peut-être pas dû te séparer de ton arme aussi vite.

Enfin, il se retourna.

Notre deuxième baiser, trente ans après le premier, ne fut pas moins violent, et nourri par un désespoir brut inconnu lorsque nous étions enfants.

— Et l'étoile, Kate ? Qu'est-ce que tu en as fait ?

223

Nicky me faisait face, appuyé sur un coude, la bouteille de Wild Turkey entre nous. La flamme de la bougie vacillait sur la table à côté du lit, jouant dans ses cheveux et sur sa peau. Il était très séduisant.

— Je l'ai enterrée dans le cellier, répondis-je d'une voix endormie. Hier soir.

Je fis courir mes doigts le long de son torse. Je ne voulais pas penser à l'étoile. C'était bon d'être de nouveau avec un homme. Trop bon. Et voilà qu'il allait tout gâcher.

— Tu sais ce qu'on doit faire, n'est-ce pas ?

Je ne réagis pas. J'étais à peu près sûre de ne pas aimer ce qu'il allait dire. Et j'avais raison.

— Il faut qu'on aille la rechercher. Il faut la lui rendre.

J'enlevai la main de sa poitrine et je me redressai, irritée.

— Bon sang, Nicky. On parle de quelqu'un qui est mort il y a plus de trente ans. Comment tu comptes faire pour lui donner une chose réelle, tangible ? Tu veux rouvrir sa tombe et la jeter dedans ?

— Je pense qu'il faut la donner à ta mère. Elle saura quoi en faire.

Super. Mon héros sexy et ses idées géniales.

— Ma mère ! Il ne manquait plus que ça ! m'exclamai-je d'une voix rendue légèrement indistincte par l'alcool. Ma mère, au cas où tu l'aurais oublié, est à deux doigts d'être enfermée dans une maison de retraite. D'ailleurs, je l'emmène en visiter une demain matin. Elle ne va pas comprendre de quoi il retourne si on lui donne une vieille étoile toute rouillée. Ça va la perturber encore plus.

224

— Peut-être. Mais elle a l'air de communiquer avec Del, à sa façon. Sa peinture le prouve. Et elle t'a bien parlé avec la voix de Del en te réclamant l'étoile ?

— C'est peut-être mon imagination. C'était une voix différente de la sienne, voilà. Pas forcément celle de Del. Elle ne sait pas ce qu'elle dit, Nicky. Elle est malade.

Il se redressa à son tour.

— Comme tu voudras, Kate. Tu peux faire du rétropédalage tant que tu veux. Tout ce que je dis, c'est qu'on devrait récupérer l'étoile. Tu n'es pas obligée de la donner à Jean ce soir, ni même jamais. Allons la chercher. Ça peut pas faire de mal, tu crois pas ?

Je ne répondis pas. Je ne lui rappelai pas que je m'étais débarrassée de l'étoile dans une tentative désespérée de m'éviter la prison. Ni que ce vieil insigne était considéré comme une preuve cruciale par la police et que quiconque serait pris avec aurait intérêt à avoir une sacrément bonne explication.

— Ça peut pas faire de mal, répéta-t-il avec son sourire en coin de séducteur en sautant du lit et en se rhabillant. Du tout. Allez, Rose du Désert, habille-toi et en route.

J'obéis à contrecœur. Comme je boutonnais mon chemisier, mon regard tomba sur la silhouette de la peinture. Les yeux – ses yeux à elle – semblaient s'enfoncer dans les miens.

Piégée, une fois de plus.

Je fis courir le faisceau de la lampe sur les étagères puis sur le sol de terre battue. Aucune trace de mon activité de la veille – c'était du beau boulot. Et dans mon état alcoolisé, je n'avais plus la moindre idée de l'endroit où j'avais enterré l'étoile. Pas d'autre solution que de creuser. On commence d'un côté et on continue. *Siffler en travaillant...*

Nicky but à la bouteille qu'il avait emportée et la posa sur une étagère. Je choisis un endroit vers le fond – je m'étais tenue près de la bougie dans le pot de confiture, non ? –, reculai puis enfonçai la bêche dans le sol, manquant de dégringoler.

J'étais bel et bien saoule. Je m'en étais rendu compte en marchant dans le bois et sur le sentier qui descendait la colline. Lorsque nous fûmes en vue du champ de petits pois, je m'accrochai à Nicky, et lui posai des questions qui commençaient toutes par : « Tu te souviens ? »

« Tu te souviens quand tu étais Billy le Kid ? »

« Tu te souviens que tu m'as appris à tirer avec la carabine ? »

« Tu te souviens comme nos dents se sont cognées quand on s'est embrassés ? »

« Une force incroyable. Comme un accident. »

Nicky m'aidait à marcher droit, même s'il trébuchait lui aussi parfois sur une racine ou une touffe d'herbes. « Oui, me disait-il, je me souviens. » Je m'appuyais sur lui, sentais sa chaleur, voulait être à nouveau dans le lit avec lui.

Puis nous arrivâmes au cellier, il ouvrit la porte et je descendis les marches à tâtons, l'odeur de Del flottant tout autour de moi. Je ratai la dernière marche, me tordis la cheville, atterris sur les genoux. Je promenai le faisceau lumineux partout. Nicky me

mit la pelle dans les mains. Lui avait le petit déplantoir.

— Allez, hop ! Il faut la déterrer.

On aurait dit qu'il ne parlait pas de l'étoile, mais
de Del. La déterrer, elle.

Creuser. Creuser jusqu'en Chine. Creuser une
tombe. Planter des patates. *Ouh, la Pa-ta-te.* Je me
mis à fredonner, puis me sentis nauséeuse.

— J'ai envie de vomir.

— T'arrête pas, ça va passer.

Ça aussi passera. Je creusais comme un vieux
chien qui cherche le bon nonosse qu'il vient
d'enterrer. Les dents sont des os. Que sont devenus
les os de Del à présent, tout au fond de leur cercueil
de métal ? Métal. Bêche en fer. Étoile en fer-blanc.
J'avais un goût métallique dans la bouche.

L'étoile ne se trouvait pas là où je pensais. Là où
je l'avais enterrée.

— Il nous faut un détecteur de métal.

— Ça va aller. Essaie de te souvenir.

Il enfonça le déplantoir dans le sol.

Me souvenir. Oui, je me souvenais. Me souvenais
de la lettre *M* sur la poitrine de Del. Boursouflée.
Infectée. Son secret. *« Un mal qui fait du bien. »* Je
m'arrêtai de creuser pour descendre ce qui restait de
la bouteille, histoire de m'enlever ce goût de métal.

— Et glou et glou, fis-je en me remettant au
travail, comme un nain dans la mine.

Siffler en travaillant…

— Qu'est-ce qu'ils cherchaient les sept nains,
déjà ? demandai-je à Nicky, prise de fou rire à en
tomber par terre. Enfoirés de nains ! Ça avait l'air si
facile avec eux.

J'enfonçai ma bêche dans la terre une fois de plus, un pied sur la droite, sûre que l'étoile devait être là. *Étoile des neiges…*

— Tu te souviens, le premier jour ? Quand tu as ouvert la porte du cellier ? Tu as vu Del qui avait enlevé son chemisier, et moi je regardais et on ne savait pas ce qui allait se passer. On ne savait pas qu'on prenait un train et que ça allait créer un accident, un putain de déraillement. Tu te rappelles qu'on ne savait rien ?

Ma pelle heurta quelque chose de métallique. Je m'accroupis et tâtonnai dans la terre. Je l'avais retrouvée. Rouillée et pointue. Lourde dans ma main. Plus un fardeau qu'un souhait qui se réalise.

— Seigneur, l'adjointe l'a trouvée, dis-je.

Puis je me penchai pour vomir.

DEUXIÈME PARTIE

Les derniers jours

**17 novembre 2002
16 juin 1971**

*Hou, la Pa-ta-te, la Patate au four,
Elle vient te chercher,
Enferme-toi à double tour !*

13

17 novembre 2002

— Je ne reste pas là !

— Personne n'a dit ça, maman. On vient juste visiter.

Farouches, les yeux de ma mère étaient fixés sur un point au-dessus de mon épaule droite.

— Je ne reste pas là !

Je me retournai pour lancer un regard d'excuse à la femme qui nous faisait visiter, une certaine Mme Shrewsbury, malheureusement affligée de petits yeux ronds de fouine.

— Votre mère se sentirait peut-être plus à son aise si elle participait à notre atelier de peinture pendant que nous terminons la visite, dit la fouine en regardant par-dessus ses lunettes.

Nous assîmes donc ma mère à une longue table où d'autres personnes âgées étaient installées devant de gros pinceaux, d'immenses feuilles, et des récipients contenant des couleurs primaires. Je l'aidai à enfiler une blouse en plastique et regardai l'animatrice la mettre au travail.

— Je ne reste pas là, répéta-t-elle, mais son ton avait perdu de sa vigueur.

Dès que sa main bandée se fut emparée maladroitement du pinceau, elle se mit à peindre, sans plus s'occuper de ce qui l'entourait.

Mme Shrewsbury me montra les chambres des résidents, la salle à manger, le salon pour les visiteurs, et m'indiqua le programme des activités. J'acquiesçai vaguement à tout, ma gueule de bois m'empêchant de faire mieux. Ma cheville me lançait et je boitais un peu. J'avais hâte de terminer la visite et de fuir l'odeur atroce qui flottait dans l'air, mélange écœurant de désinfectant et de pois bouillis.

Les événements de la veille n'étaient qu'un souvenir confus. Nicky et moi étions allés dans le cellier pour déterrer l'étoile, et – mission accomplie – l'insigne rouillé encore sali de terre avait été placé sous mon oreiller au matin. Je ne me rappelais pas être rentrée à la maison, ni m'être couchée. Je ne me rappelais pas le départ de Nicky, sans doute vers le lever du jour. Lorsque Raven s'arrêta chez nous en partant travailler pour nous apporter des muffins au son, elle y alla de son commentaire : « On dirait que tu as eu de la visite cette nuit. » Je lui répondis qu'on avait juste bavardé, elle haussa les sourcils d'un air entendu. Il était évident que Raven ne me croyait plus. Et moi, je ne débordais pas spécialement d'affection pour elle depuis la visite de Zack. Si elle ne voulait pas que je voie sa fille, soit, mais quand même, elle aurait pu au moins avoir le courage de venir me le dire en face. Je lui faisais peur à ce point ?

— Je sais combien ça peut être dur, disait Mme Shrewsbury. C'est une grande décision, et votre maman peut vous sembler... récalcitrante. Mais en tant qu'infirmière, vous connaissez la quantité de soins que son état exige. Vingt-quatre heures sur vingt-quatre, c'est trop pour une personne seule.

Je hochai la tête, en pensant à la peinture de ma mère, à sa nouvelle habitude de parler avec la voix de Del. *Et encore, tu ne sais pas tout, la fouine.*

— On se sent toujours très coupable, continua-t-elle. Mais avec le temps, vous verrez que vous avez bien fait. Elle s'adaptera. Sincèrement, les personnes comme votre mère n'en veulent pas à leur famille. Au bout de quelques semaines, ce sera comme si elle avait toujours été ici.

Tu parles d'une consolation !

Puis je pensai à la facilité avec laquelle ma mère s'était laissée distraire par la peinture dans la salle d'arts plastiques. Ça ne serait peut-être pas si dur que ça, après tout.

— Elle sera bien ici. Nous prendrons soin d'elle. Comme je vous l'ai dit au téléphone, nous avons deux chambres disponibles. Elle pourrait emménager cette semaine si vous le souhaitez.

Je répondis que je ne voulais pas prendre une telle décision à la va-vite. Pourtant, j'étais plus qu'impatiente d'en finir avec tout ça et de repartir à Seattle. Bien en sécurité dans une maison de retraite, ma mère pourrait peindre ce qu'elle voudrait, parler avec la voix de Del tout son saoul. Pourtant, tandis que j'envisageais mon départ, j'entendis une petite voix me dire : *L'assassin court toujours. Et si Opal était vraiment en danger ?*

Mme Shrewsbury me tapota le bras en m'assurant à nouveau qu'elle savait combien c'était dur.

Puis elle me conduisit dans le salon où une télévision braillait. Trois vieilles femmes, leur déambulateur garé à côté d'elles, regardaient une émission de jeux. Dans un coin, un vieux assis sur une chaise en plastique orange suçait ses gencives en chantonnant. L'air ne m'était pas inconnu, mais je n'arrivais pas à l'identifier, quelque chose d'enfantin, comme une comptine. Je m'approchai un peu pour mieux entendre, gênée par les applaudissements à la télé.

— *Hou, la Pata-te, la Pata-te pourrie, tu pues tellement que tout le monde vomit*, chantait-il.

Bon sang ! Ma bouche se dessécha. Je me demandais si j'avais bien entendu.

— Comment ?

Je me penchai pour me mettre au niveau de ce vieil homme sans dents, en pyjama taché. Ses yeux bleus étaient larmoyants et délavés. Il sentait le vieux lait.

— Oh, c'est juste M. Mackenzie, dit la fouine. Un vrai chanteur de charme, pas vrai, Ron ?

— *Hou, la Pa-ta-te, la Patate au four, elle vient te chercher, enferme-toi à double tour !*

Il ne chantait plus, mais scandait, ses yeux humides et embrumés fixés sur les miens.

— Ron Mackenzie ? Vous conduisiez le bus scolaire ? demandai-je.

Le vieux se contenta de sourire, en aspirant ses lèvres. Un peu de bave coula sur son menton mal rasé.

— Ah, ça oui, il conduisait le bus, pas vrai, Ron ? intervint Mme Shrewsbury. Jusqu'à sa retraite. Il

234

était mécanicien aussi, au garage municipal, pas vrai ?

— *Elle vient te chercher, enferme-toi à double tour !* répéta Ron, les yeux rivés sur moi, avec un large sourire édenté.

— Vous vous souvenez de Del Griswold ? demandai-je d'une voix grinçante et désespérée. La Patate, elle prenait votre bus.

J'avais mis la main sur sa manche et dus réfréner l'envie de le secouer pour lui soutirer sa réponse.

Il continuait à sourire. Bavant un peu plus.

— C'était un macaque, finit-il par dire. Un sale petit macaque. Son frère aussi.

— Lequel ? Nicky ?

— *Hou, la Pa-ta-te, la Patate pourrie, tu pues tellement que tout le monde vomit.*

Il marmonnait à présent.

Je regardai le vieil homme et me penchai encore un peu, de sorte que je reçus son haleine chaude et rance en plein visage.

— *M*, ça veut dire macaque, murmura-t-il. C'était un macaque.

Une éventualité atroce me vint à l'esprit sous les lumières fluorescentes du salon, tandis que le public de la télé riait derrière moi, et que la fouine, à mes côtés, penchait la tête d'un air vaguement curieux. Elle était là, dans l'odeur de lait tourné que diffusait l'haleine chaude de ce vieillard – cette éventualité était tout aussi surie.

— C'est vous qui lui avez tatoué le *M*, monsieur Mackenzie ? Vous avez fait le tatouage de Del ?

Je me forçai à prononcer les mots, redoutant sa réponse. Se pouvait-il que je sois face à l'assassin de Del, un vieillard sénile en pyjama souillé ?

Il sourit, se mit à se balancer d'avant en arrière sur sa chaise en fredonnant. Le fredonnement se transforma en hurlement plaintif. Notre ancien chauffeur de bus hurlait comme un coyote, de plus en plus fort à chaque inspiration. Mme Shrewsbury me prit le bras pour m'éloigner, en disant que nous devions partir avant qu'il ne s'énerve encore plus. Nous fîmes demi-tour, mais son hurlement cessa et il m'appela doucement, d'une voix tremblante à présent, usée :

— Hé, Adjointe !

Je m'arrêtai net. Un frisson glacial remonta le long de ma colonne vertébrale.

— Tu ferais mieux de lui donner, au macaque. Tu ferais mieux de lui rendre son étoile. Rends-lui son étoi-oile !

Je me retournai vers l'ancien employé de la Nasa, juste à temps pour voir une tache sombre s'étaler sur ses cuisses. Il me regarda en riant tandis que l'urine dégoulinait de la chaise en plastique et formait une flaque sur le sol carrelé.

— Je veux rentrer à la maison, dit ma mère lorsque nous la rejoignîmes. Tu ne peux pas me laisser ici.

Crois-moi, on va se tirer aussi vite que nos petites jambes pourront nous porter.

Je jetai un coup d'œil dans le couloir, sûre que le vieux Ron Mackenzie m'avait suivie. Je ne vis qu'une

employée en uniforme rose qui poussait une serpil-
lière et un seau.

— Je ne te laisse pas, maman. On s'en va.

Ma voix tremblait autant que mes mains, tandis
que j'essayais de lui enlever sa blouse. Il me fallut
prendre sur moi pour ne pas l'attraper par la main et
partir en hurlant, en la traînant.

— J'ai fait une peinture, dit ma mère. Pour Opal.

— C'est gentil, maman.

*Hou, la Pa-ta-te, la Patate au four, elle vient te
chercher, enferme-toi à double tour !*

Quelqu'un d'autre chantait-il cela, ou était-ce dans
ma tête ?

— J'espérais que vous resteriez pour déjeuner, dit
Mme Shrewsbury. Nous aurions pu commencer à
remplir les papiers.

— Je veux rentrer chez moi, répéta ma mère.

— Je sais, maman. Moi aussi. Allez, mets ton
manteau.

Je m'excusai auprès de la fouine, disant que nous
devions partir mais que je l'appellerais dès que nous
aurions pris une décision.

En me tournant pour aider ma mère à enfiler son
manteau, je jetai un coup d'œil à sa peinture.
De nouveau, je dus étouffer un cri.

Là, sur la grande feuille, s'étalait une étoile de
shérif géante, soigneusement peinte dans des tons
de gris.

— Pourquoi est-ce que c'est pour Opal, maman ?

— Quoi donc, Sauterelle ?

— La peinture. Tu as dit que c'était pour Opal.

— J'ai dit ça, moi ?

Elle réfléchit un instant, la tête penchée.

237

— Pauvre petite Opal, reprit-elle. Tu crois qu'elle sait ?

— Qu'elle sait quoi, maman ?

— Qui est son père.

— De quoi tu parles ? Qui est-ce ?

J'étais sûre qu'elle allait répondre « Élan Paresseux », que, bien entendu, elle confondait Opal avec Raven, qu'elle confondait elle-même tout le temps avec Doe. Mon Dieu, ça devenait compliqué de la suivre !

— Ben, c'est Ralph Griswold, enfin ! Celui qui vend des œufs et des cochons et qui vit au pied de la colline. Tu le savais, quand même, Sauterelle ?

Elle me regarda d'un œil interrogateur, comme pour dire *Ma parole, tu perds la mémoire !*

— Écoute, Kate, j'ai parlé avec Jim aujourd'hui et je lui ai demandé des nouvelles de Mike Shane. Tu devineras jamais ce que ce salopard fabrique à Burlington !

Nicky et moi étions assis dans la cuisine, attablés devant des sandwiches au thon. Ma mère était occupée à peindre. J'avais invité Nicky à déjeuner dès notre retour de la maison de retraite. Je mourais d'envie de lui raconter ce que ma mère avait dit, que son père était aussi celui d'Opal, mais je décidai de tenir ma langue pour le moment. Elle avait pu l'inventer de toutes pièces.

Mais si c'était vrai ? Si Opal était vraiment la demi-sœur de Del ? Je savais que si je voulais connaître la vérité, il me faudrait la demander à la personne la moins encline à la partager avec moi, Raven.

Nicky n'attendit pas que je devine.

— Tu vas pas le croire. C'est parfait. Mike Shane est tatoueur, putain ! Il tient le salon de tatouage Mike le Dragon à Burlington.

Je pris le temps de digérer cette nouvelle et de réfléchir aux possibilités qu'elle impliquait. Le tatouage de Del était peut-être un des premiers essais de Mike. Un cadeau plus permanent que l'étoile argentée. Je suivais peut-être la mauvaise piste avec le vieux Ron Mackenzie.

— Je reconnais que c'est une drôle de coïncidence.

— Une coïncidence ? Putain, une preuve, oui ! Tu as bien dit qu'il y avait la lettre *M* sur la poitrine de Del ? *M* pour Mike. Je te parie que c'est lui. Il l'a tatouée et puis il l'a tuée, et il a été obligé d'enlever le tatouage pour qu'on ne fasse pas le lien avec lui.

— Ça vaut sûrement le coup de vérifier. Mais je ne vois pas Mike Shane tuer Del. Il avait onze ou douze ans. Et il était plutôt mal en point le dernier jour d'école, je crois qu'il a fini à l'hôpital.

— Mais Kate, il est tatoueur, bordel !

— Je sais. C'est une sacrée coïncidence. Je te dis, il faudrait qu'on vérifie. Mais je dois te raconter ce que j'ai découvert aujourd'hui. Tu te rappelles Ron Mackenzie, le chauffeur du bus scolaire ?

— Pas bien. Il avait un sale caractère, mais il le cachait bien. Il nous traitait de macaques, ça je m'en souviens.

Je lui racontai ma matinée à la maison de retraite et les propos de Ron.

— Bon Dieu, le tatouage aurait pu être une façon de la marquer ! *M* pour macaque. Comme la Lettre écarlate ou un truc de ce genre. L'ordure !

Une grimace tordit le visage de Nicky.

— Je ne sais pas. C'était un joli *M*, très délicat. Si la lettre avait été tatouée dans la haine par un type tel que Ron, je pense qu'elle aurait été grossière et bâclée. J'ai toujours pensé que celui qui avait fait ce tatouage à Del l'aimait bien.

— Ce qui l'a pas empêché de l'étrangler et de la découper comme un bout de bidoche ! Je pense qu'on devrait parler à Mackenzie et aussi à Shane. Mince, on devrait peut-être aller trouver la police !

Je secouai la tête.

— Avec quoi ? Sur la base des propos qu'un vieillard sénile a marmonnés juste avant de se pisser dessus ? Si c'est lui qui a tué Del, il a ce qu'il mérite. Il est dans sa prison à lui. J'ai presque pitié de lui. Et on sait très bien qu'il n'a pas pu faire le mur pour aller tuer Tori. Quant à Mike, la seule preuve qu'on ait, c'est cette lettre *M* que j'ai vue et dont personne ne semble connaître l'existence. Bon sang, ça me mettrait en position de suspect numéro un, si je ne le suis pas déjà. Surtout s'ils découvraient que j'ai cette fichue étoile.

— Quoi ? Les flics ont jamais pensé que tu étais suspecte !

— Pas à l'époque, mais aujourd'hui. Si j'en juge par la façon dont ils se sont comportés, je crois bien que je suis en tête de leur liste.

— Mais c'est idiot ! Tu n'as rien à voir avec l'un ou l'autre meurtre !

— Non, et toi non plus, pourtant tu es suspect aussi, il me semble ? Ce n'est pas toi qu'ils sont venus chercher en premier quand Tori Miller a été assassinée ? Pas de bol, Nicky.

240

Il réfléchit un instant. Je débarrassai la table.

— Et l'étoile ? demanda Nicky. Maintenant que Ron en a parlé aussi, tu crois pas que tu devrais faire quelque chose ? Si c'est bien Del qui agit, elle sait que tu l'as.

— Non, mais tu t'entends ? Tu as l'air aussi cinglé que monsieur Je-travaillais-pour-la-Nasa-et-maintenant-je-me-fais-dessus. Oui, j'ai l'étoile, mais on ne peut rien faire. On aurait dû la laisser là où elle était. Je n'aurais jamais dû t'écouter quand tu as parlé de la déterrer.

— Tu as peut-être raison. Tu étais bien bourrée. J'en ai un peu profité.

Ça me fit rire.

— Je ne sais pas lequel des deux a profité de l'autre.

Il me fit un petit sourire timide. En rougissant, j'examinai les rides autour de ses yeux. Pareilles aux pattes d'un oiseau. Comme s'il était rattrapé par le corbeau qu'il avait tué jadis. Il avait quelque chose de fragile, d'enfantin.

— Nicky, il faut que je sois franche. Je ne suis pas très douée pour les histoires de cœur. Mon mariage a mal tourné presque tout de suite. Je ne suis pas un cadeau, question sentiments.

Je regardai cet homme et vis à nouveau le garçon de quatorze ans à la peau hâlée par les travaux des champs, aux yeux humides de désir. Il sentait la cigarette et l'essence. Il enleva sa casquette John Deere et la mit sur la table.

— Ce qui s'est passé hier soir est très important pour moi, répondit-il. Et j'espère qu'on n'en restera pas là. Je te demande pas de t'engager. Je sais que

241

tu as ta vie et moi, la mienne. Je peux pas te promettre que ça va évoluer comme ci ou comme ça, mais merde, on est adultes maintenant. On peut pas revenir en arrière, mais on peut avancer, tu crois pas ? Alors, donne-moi une chance, tu veux ? Voyons quelle tournure ça va prendre.

Sa voix coulait comme du whisky, et ces paroles chuchotées avaient une intonation râpeuse qui me procurait une sensation de chaleur dans la nuque. Je me penchai et posai mes lèvres sur les siennes.

Pas de dents qui se cognent cette fois, pas de force terrible comme la veille. Suave et doux. Pas de désespoir, juste une touche de désir contenu. Désir peut-être pas seulement de l'autre mais de retour en arrière. Revenir en arrière et recommencer, avoir notre deuxième chance. Je mis la main sur sa nuque et l'attirai plus près, essayant de me raccrocher. Et pour un petit instant, nous redevînmes des gosses dans le grenier, qui avaient besoin d'air mais qui adoraient cette impression de suffoquer.

— *Oh, les amoureux !*

Le chantonnement de ma mère avec sa voix d'enfant nous ramena brusquement dans le présent et mit une fin brutale à notre baiser. C'était la voix de Del, et le visage effrayé de Nicky me prouva que je n'étais pas la seule à le penser.

Peut-être était-ce le fait d'avoir un témoin, ou l'épuisement émotionnel, ou la gueule de bois, ou même les hormones, mais à ce moment mes peurs inconscientes se ruèrent à l'assaut de mon esprit. Del parlait à travers ma mère et s'en servait comme un ventriloque de sa poupée, en tirant sur une invisible ficelle cosmique. C'était ainsi, tout simplement.

Elle avait trouvé une façon de revenir et, tout comme Nicky me l'avait dit, elle était furax.

— À quand la noce ? demanda-t-elle.

Entendre la voix vengeresse d'une enfant sortir de la bouche de ma pauvre vieille maman était obscène. Elle retourna dans son atelier en caquetant et claqua la porte. S'ensuivit un vacarme épouvantable, comme si elle fichait tout en l'air dans la pièce.

— Tu ferais mieux d'y aller, murmurai-je. Je t'appelle.

— Kate, je…

— Vas-y. C'est bon. On se parle plus tard.

Tant pis pour la deuxième chance.

Il ramassa sa casquette graisseuse et la vissa sur son crâne.

— Je suis désolé, dit-il.

— Moi aussi, répondis-je, et il sortit.

14

17 novembre 2002

Une heure plus tard, j'étais en train de balayer des débris de verre dans l'atelier lorsque Opal fit son apparition.

— Ben dis donc ! Qu'est-ce qui s'est passé ici ?

— Maman a décidé de refaire la déco.

La pièce était sens dessus dessous. C'était surtout sur mes affaires qu'elle s'était acharnée. Elle avait sorti tous les vêtements de mes valises et en avait déchiré le plus possible. Mon lit était défait, et la literie éparpillée partout.

— Je suis venue te dire que j'avais fini le Jenny. Je viens de coller la cascadeuse dessus et je l'ai suspendu.

— Elle doit être bien contente là-haut, pas comme tous ses frères de plastique qui vont passer le restant de leurs jours à faire coucou à des trains qui tournent en rond.

Opal s'assit par terre.

— Tu sais que je ne suis pas censée t'approcher ? dit-elle.

— Oui, je le sais.

— Ma mère dit que tu pourrais être dangereuse.

— Ah bon ?

— Et je parie que tu ne connais rien aux champignons sauvages.

— Et moi, je parie que tu n'as toujours pas trouvé ce que tu cherchais dans les bois. Qu'est-ce que c'est, Opal ? Quelque chose en rapport avec le meurtre de Tori ? Ce n'est pas mon couteau ? Tu as pris mon couteau suisse ?

La couleur se retira de ses joues et elle ressembla au fantôme qui l'effrayait tant.

Se pouvait-il qu'elle soit la demi-sœur de Del ? À ce moment précis, la ressemblance était stupéfiante. Et ce que j'éprouvai alors tenait surtout du désir farouche de protection. Je voulais protéger Opal comme je n'avais jamais été capable de protéger Del.

— Je peux t'aider, dis-je. Il te suffit d'être franche avec moi. Je t'en prie, Opal. Tu peux me faire confiance. Qu'est-ce que tu cherchais dans les bois ? Qu'est-ce que tu me caches ?

Elle ouvrit la bouche, prête à me dire enfin la vérité, mais quelque chose l'arrêta. Je suivis son regard dirigé vers le chevalet dans le coin de la pièce, vers la toile de ma mère, la seule chose qui avait été épargnée dans son saccage.

— Qu'est-ce que c'est ? demanda Opal, de plus en plus pâle, en s'approchant du tableau.

— La dernière œuvre de ma mère. C'est censé représenter l'incendie du tipi.

Ne fais pas attention aux yeux gris errant dans le coin.

— Mais il y a quelqu'un là-dedans ! s'exclama Opal en tendant la main vers la silhouette dans le tableau. Quelqu'un avec une étoile de shérif. C'est qui ?

— Je ne sais pas, Opal.

— C'est elle, hein ? C'est Del. Elle avait une étoile comme celle-là ?

Sa voix tremblait à présent.

— Opal…

— Dis-le-moi ! Dis-moi la vérité juste là-dessus, et je ne te demanderai plus rien sur elle. Je te ficherai la paix, puisque c'est ce que tout le monde veut.

L'étoile de Del n'était pas un si grand secret. Opal n'avait qu'à interroger quiconque se trouvait dans les parages à l'époque ou regarder les vieux articles de journaux à la bibliothèque.

— OK, OK. Oui, Del avait une étoile de shérif argentée. Un truc de pacotille en fer-blanc. Un truc de gosse. Elle la portait tout le temps. Elle l'avait le jour où on l'a tuée, mais on ne l'a jamais retrouvée.

— Donc, le meurtrier l'a prise ? demanda-t-elle, le visage déformé par la concentration.

— C'est ce qu'on a pensé.

Je m'attendais à un flot de questions, mais aucune ne vint. Opal resta plantée devant le tableau.

— Et maintenant, Opal ? Ça veut vraiment dire qu'on ne parlera plus de Del ?

— Croix de bois, croix de fer, dit-elle en tournant les talons.

Heureusement qu'elle n'ajouta pas « si je mens, je vais en enfer ».

Je fis le numéro de la grange principale et ce fut Raven qui décrocha à la deuxième sonnerie. J'espérais qu'elle n'avait pas vu Opal partir ou revenir.

— Salut, Raven. Je dois m'absenter. Il faut que j'aille à Burlington. Tu pourrais rester avec ma mère jusqu'à mon retour ? Je demanderais bien à Gabriel, mais il l'a déjà fait hier. Je devrais être revenue pour dîner. J'appellerai de Burlington pour voir si tout va bien.

Raven hésita avant de répondre, histoire de me montrer qu'elle n'était pas disposée à me rendre un service. Elle n'allait pas se mettre en quatre pour une tueuse de chat.

— Qu'est-ce que tu vas faire à Burlington ? me demanda-t-elle d'un ton soupçonneux.

— Voir un vieil ami.

— Ça ne me dérange pas de m'occuper de Jean, soupira-t-elle. Avant que tu arrives, je passais tout mon temps libre avec elle. Elle ne s'est jamais perdue quand c'était moi qui la gardais.

J'ignorai la pique.

— C'est gentil. Écoute, maman a eu une petite crise tout à l'heure. Je lui ai donné un calmant et je l'ai mise au lit. Elle va sûrement dormir tout le temps.

— Je serai là dans dix minutes.

— On pourrait boire un thé avant que je parte, dis-je à Raven lorsqu'elle arriva.

Je désignai la cuisine, où j'avais disposé les tasses et la théière. Raven prit un air méfiant.

— Je voudrais te parler de quelque chose.

Elle s'assit et se versa une tasse de thé vert, où elle ajouta une cuillerée de miel qu'elle prit avec délicatesse dans le pot posé au milieu de la table. Je pensai un instant qu'elle allait me le faire goûter, pour s'assurer que je ne l'empoisonnais pas.

— Si ça concerne Opal, ce n'est même pas la peine d'aborder le sujet. Je pense que tu as une mauvaise influence sur elle en ce moment.

— En fait, oui, cela concerne Opal, mais ça n'a rien à voir avec moi.

— C'est quoi, alors ? Tu as une super-idée pour son éducation ? Si c'est le cas, je te conseille de t'abstenir.

— Je veux savoir qui est son père.

Apparemment j'avais touché son point faible.

— Quoi ?

— Tu as très bien entendu.

Son visage se tordit dans une grimace de dégoût.

— Mais ça ne te regarde absolument pas ! Pour qui tu te prends ?

— C'est Ralph Griswold ?

Ses yeux sombres devinrent d'un noir trouble.

— Qui t'a raconté ça ?

— Une source fiable, mentis-je.

— Nicky ? demanda-t-elle en se passant la main dans les cheveux. Je vais le démolir, cet abruti d'ivrogne !

Donc, c'était la vérité. Encore un secret que Nicky m'avait caché.

— Opal ne le sait pas ?

— Seigneur ! Bien sûr que non ! Ta source ne t'a pas dit que j'avais été violée ? Je ne vais pas lui faire porter ça : « Ton père biologique était un sale

248

cul-terreux, violeur, et sans doute pédophile par-dessus le marché. » Comment crois-tu qu'elle le prendrait ?

— J'ignorais ce qui s'était passé. Je suis désolée, vraiment.

Raven émit un petit grognement.

— Je n'ai pas besoin de ta compassion. C'était il y a longtemps et ce fumier nous a rendu service à tous en passant l'arme à gauche peu de temps après. J'ai une fille merveilleuse que j'aime plus que tout au monde. Et si tu t'avises de seulement penser que tu vas lui dire, je te le ferai regretter à un point que tu ne peux pas imaginer.

Je compris soudain pourquoi elle refusait si caté-goriquement qu'Opal se complaise à évoquer Del et les Griswold.

— Bien entendu, dis-je en pesant mes mots. C'est ton rôle, pas le mien. Mais je me demande si elle ne s'en doute pas un peu. Ça expliquerait son obses-sion pour Del, tu ne crois pas ?

Elle me lança un regard exaspéré.

— Tu ne devais pas aller quelque part, Kate ? Tu ferais bien de te dépêcher. Il paraît qu'il va faire mauvais dans les heures qui viennent.

Comprenant l'allusion, j'attrapai mon manteau et mes clés, et laissai Raven assise à la table de la cuisine.

Je me demandais qui d'autre savait la vérité sur le père d'Opal.

Avant de prendre la direction de Burlington, je m'arrêtai en ville chez Haskie pour prendre un café et acheter de l'aspirine. Ma cheville me lançait

249

toujours et ma tête n'allait pas mieux. Je me promis de ne plus m'approcher du Wild Turkey jusqu'à la fin de mon séjour.

— J'ai appris pour le chat de ta mère, me dit Jim Haskaway derrière sa caisse. Drôlement bizarre, de le retrouver la gorge tranchée comme ça.

Pitié, pas ça. Je n'avais pas le temps et n'étais pas d'humeur pour une nouvelle séance de commérages.

Je hochai la tête.

— Il y a un autre truc curieux, continua Jim, à propos de l'ancien meurtre, celui de Del Griswold. Lorsque j'ai vu Ellie Miller à l'enterrement de Tori, je lui ai dit que tu étais revenue pour t'occuper de ta mère. On s'est mis à discuter, et Ellie m'a raconté que la petite Delores et toi vous étiez les meilleures amies du monde. Enfin, je présume qu'Ellie était toute chamboulée par la mort de sa fille et tout ça, et qu'elle a dû confondre. Parce que si je me souviens bien, tu m'avais dit que tu la connaissais à peine, la petite Griswold.

Il me fixa avec un air de profonde suspicion. Super, un détective amateur de petite ville – on se serait cru dans *Arabesque* ! Je voulus lui suggérer de s'en tenir à son rôle de chef des pompiers, mais je fus interrompue par le bruit d'une sirène provenant de son scanner et qui absorba toute son attention. Puis une voix saccadée annonça un accident de voiture en ville près de la cascade, suivie d'une série de bips électroniques.

— Ellie se trompe, c'était il y a si longtemps, répondis-je en posant mon argent sur le comptoir.

Je sortis sans attendre ma monnaie. Il était trop attentif au scanner pour me rappeler. Sauvée par le gong !

Je m'étais garée devant le magasin d'antiquités et, lorsque je regardai à l'intérieur, à travers la vitrine obscurcie par un film, au-delà de l'écriteau FERMÉ POUR L'HIVER, je vis une femme que je reconnus aussitôt. C'était Ellie, assise devant une table, en train de passer en revue une pile de cartes postales. Elle n'avait pas beaucoup changé depuis que je l'avais vue pour la dernière fois, à la fin du lycée. Elle avait toujours un maintien parfait et était à la mode tout en restant classique. Plus blonds que jamais, ses cheveux étaient coiffés en un chignon impeccable. Elle leva les yeux vers moi, et je me sentis obligée d'aller lui dire bonjour. La porte du magasin n'était pas fermée, quoi qu'en dise l'écriteau.

— J'ai appris que tu étais en ville.

Moi aussi, je suis contente de te voir, Ellie.

Le magasin sentait le vieux cuir et l'encaustique. Un cordon de clochettes de traîneau accroché à la porte carillonna.

— Tout se sait, répondis-je en me forçant à sourire gentiment.

Ellie reporta son attention sur la pile de cartes postales anciennes qu'elle triait sur le bureau. Images sépia d'un Vermont depuis longtemps disparu. Devant la pile étaient posés un coupe-papier en argent, un bloc et un stylo. C'était un petit bureau, presque un meuble d'enfant, et Ellie avait les genoux coincés dessous, dans une position qui semblait très inconfortable.

251

Le désordre régnant dans le magasin était sans doute dû à une grande réorganisation hivernale. Au fond, une échelle s'appuyait contre un mur d'étagères vides. Des boîtes soigneusement étiquetées étaient disséminées partout, voisinant avec des blocs-notes, des étiquettes de prix et des ouvrages de référence sur les antiquités et les objets de collection.

— Toutes mes condoléances.

Les mots sonnaient creux. Ellie ne leva pas les yeux et continua son tri, comme si elle tirait les cartes pour prédire un avenir incertain.

— Les gens parlent, fit-elle enfin, la voix tremblante. On dit que tu pourrais être mêlée à ce qui est arrivé à Tori.

Elle grimaça en prononçant le prénom de sa fille. Elle tripota une carte tachée représentant l'ancienne roue à eau qui alimentait le moulin autrefois. Disparu depuis longtemps. Bois pourri. Métal tombé en poussière.

— Moi ?

— Toi et Nicky Griswold.

Parfait. Le dynamique duo du crime.

Je me mis à rire, incapable de m'arrêter.

— Moi et Nicky Griswold, répétai-je. C'est ce que tu penses, Ellie ?

Elle pinça les lèvres, examina la photo d'un homme avec un attelage de chevaux traînant des seaux de sirop d'érable. La quintessence du Vermont.

— Je ne pense plus. Quand on perd un enfant, on s'arrête de penser.

Ses paroles étaient acerbes et ses yeux ne quittèrent pas la carte postale. Je fis un signe de tête compréhensif, tout en sachant qu'elle ne me voyait pas.

— Mais je sais ce que Nicky en pense, poursuivit-elle. Il parcourt la ville en disant que c'est la Patate la coupable. On la rend responsable de tout ce qui se passe ici. Une sécheresse, c'est la Patate. Un accident de voiture, encore la Patate. Mais ça m'écœure d'entendre les gens dire que c'est elle qui a tué ma fille. Ça me rend malade rien que d'entendre le prénom de Tori associé au sien.

Ses doigts tremblaient tandis qu'elle passait les cartes en revue à toute vitesse et les posait sur des piles, apparemment au hasard.

— Je comprends, dis-je.

— Non ! fit-elle d'un ton dur, furieux. Non, tu ne comprends pas. D'ailleurs, pourquoi es-tu venue, Kate ? Pour qu'on se souvienne du bon vieux temps ? Pour me dire que tu es désolée de ce qui est arrivé à ma fille ?

Elle me regarda pour la première fois, ses yeux transperçant les miens de leur feu. Elle s'assit encore plus droite, se cognant les genoux au minuscule bureau en bois.

— Mais je le suis, désolée, dis-je d'une voix presque geignarde. Je venais juste te présenter mes condoléances. Je m'en vais, je te laisse travailler.

— Bonne idée. Monte dans ta petite voiture et fiche le camp de New Canaan, Kate. Tu n'es pas la bienvenue ici. Tu es apparue et les problèmes ont commencé.

Elle avait raison. Est-ce que mon arrivée avait déclenché quelque chose ? Mis des forces en mouvement ? Ou tout ça n'était-il qu'une coïncidence malheureuse ?

— Va-t'en ! aboya Ellie.

Elle se leva brusquement et désigna la porte. Mais ses jambes heurtèrent le bord du bureau qui se renversa, éparpillant les cartes postales. Le coupe-papier rebondit et tomba à mes pieds. Ellie s'agenouilla pour ramasser les cartes et se mit à pleurer. Je pris le coupe-papier et avançai d'un pas pour l'aider à rassembler les cartes. Elle fit un bond en arrière et porta une main à sa gorge.

— Alors maintenant, tu veux m'attaquer ? Tu crois que je n'ai pas assez souffert ? Tu crois que tu pourrais me faire plus de mal que ce que j'endure déjà ?

Elle sanglotait à présent. Je lâchai le coupe-papier.

— Mais non, voyons. Je suis désolée. Je voulais seulement… pardon.

Elle laissa sa main sur sa gorge.

— En fait, je ne crois pas que tu as tué ma fille, dit-elle à travers ses larmes.

Avant que je ne puisse trouver une réponse, elle poursuivit :

— Mais je crois que tu sais qui a fait le coup. Je le vois dans tes yeux. Tout comme j'ai vu qu'en réalité tu étais copine avec Del à l'époque et que tout ce que tu nous racontais, à Sam et à moi, c'était des conneries. J'ai raison, Kate ?

J'ouvris la bouche pour dire quelque chose, n'importe quoi – *ça ne te regarde pas, on était en CM2, enfin, quelle importance* –, mais au lieu de ça je gardai les mâchoires serrées, tournai les talons, et me glissai dehors. Elle avait fini par me donner l'impression que j'étais une criminelle.

— J'ai raison ? répéta Ellie, d'une voix aiguë et désespérée.

Je claquai la porte, sautai dans ma voiture et démarrai sans regarder en arrière.

Le salon de tatouage de Mike le Dragon était sur Pearl Street, niché entre une école d'esthétique et un traiteur chinois. Une première pièce mal éclairée présentait des modèles de tatouages punaisés sur les murs. Dans un coin trônait un grand bureau métallique, avec un fauteuil recouvert de tissu et une chaise pliante en fer de part et d'autre. Derrière le bureau, un rideau rouge, d'où parvenaient les voix d'un homme et d'une femme, et un bourdonnement mécanique régulier. Un instant plus tard, une femme à la coiffure punk rose magenta émergea de derrière le rideau. Elle portait un jean serré, des bottes de moto, un tee-shirt blanc et un gilet en cuir sans manches.

— Salut, ça va ? demanda-t-elle.

— Ça va.

— Bon. Prenez votre temps. Regardez toute la doc. On a des bouquins aussi. Si vous voulez un renseignement sur un prix, n'hésitez pas. Vous vous êtes déjà fait tatouer ?

— Non.

— Ah, vous êtes vierge alors ! Vous verrez, c'est vrai ce qu'on dit. On ne s'arrête pas au premier tatouage. C'est comme ça. On n'en a jamais assez. Une sorte de dépendance.

255

Elle tendit les bras. Ils étaient encerclés de dizaines de roses rouges. Entre les fleurs s'entrelaçaient des cœurs, une panthère noire et quelques papillons aux couleurs vives.

— Et ce n'est que la partie visible de l'iceberg, me dit-elle avec un clin d'œil. Les vraies merveilles sont cachées.

Je priai pour qu'elle ne me propose pas de me les montrer.

« *C'est un mal qui fait du bien.* »

— En fait, je ne suis pas venue pour un tatouage. J'aurais voulu parler à Mike.

Elle me lança un regard interrogateur.

— Vous connaissez Mike ?

— Oui, on était à l'école ensemble.

— Alors, vous savez qu'il ne pourra pas beaucoup parler.

J'acquiesçai. Elle continua, l'air mélancolique :

— Mes copines se demandent ce que je fais avec un type qui ne parle pas, mais moi je me dis que Dieu lui a pris une chose pour lui en donner une autre. Cet homme est un artiste. Il a un don. Vous voyez ce que je veux dire ? On doit se réjouir de ce qu'on a et pas regretter ce qu'on n'a pas. Vous êtes d'accord ?

J'étais d'accord.

Elle me fit un grand sourire, révélant quelques dents en or.

— Il est en train de faire une petite retouche. Je vais lui dire qu'on le demande. Vous vous appelez comment, déjà ?

— Kate. Kate Cypher. Je ne sais pas s'il se souvient de moi.

— Je vais le prévenir.

Elle disparut derrière le rideau, me laissant à mon examen des murs. Je me retrouvai face à des crânes avec des serpents leur sortant des orbites et d'autres entourés de roses.

Des os, pensai-je. *Del n'est plus que des os à présent.* Pas si sûr... Je frissonnai.

La jeune femme revint.

— Il arrive dans un instant. Moi, je rentre à la maison. Installez-vous confortablement.

Elle me désigna un vieux fauteuil inclinable en vinyle dans un coin, flanqué d'une table basse couverte de piles de magazines de tatouages. Elle prit un blouson de cuir sous le bureau et sortit.

— À plus !

Quelques minutes plus tard, un immense type à la tête rasée apparut, suivi par un grand maigrichon à queue-de-cheval. J'avais le souvenir d'un Mike grand et maigre et je me dis qu'il n'avait pas beaucoup changé, jusqu'à ce que le maigrichon prenne la parole.

— Merci, Mike, dit-il, en tendant une liasse de billets au malabar, qui lui répondit d'un sourire.

Le maigrichon sortit.

— Mike ? Mike Shane ?

Pour un peu, c'est moi qui étais frappée de mutisme. Mon ancien camarade de classe ressemblait à une version motard de M. Propre, boucle d'oreille en or et tout. Il portait un jean déchiré, un gilet sans manches en cuir et rien en dessous. La circonférence de ses biceps équivalait à peu près à mon tour de taille.

257

Il me fit un signe de tête, le visage vide de toute expression.

— Je suis Kate Cypher. On était à l'école ensemble, tu te rappelles ?

Deuxième signe de tête.

— Voilà, il y a une raison à ma visite. Une raison un peu étrange. Je suis là pour Del Griswold.

Pas de hochement de tête cette fois. Il prit son souffle et sembla bloquer sa respiration, ce qui rendit son torse encore plus monumental. Il me désigna le bureau et je m'assis en face de lui sur la chaise pliante. Il sortit un bloc et un stylo et écrivit quelque chose, puis il tourna le bloc vers moi.

Qu'est-ce que tu veux ?

— Je veux que tu me parles du tatouage de Del.

Il plissa les yeux.

Quel tatouage ?

— La lettre *M* sur sa poitrine. C'est toi qui lui as fait, n'est-ce pas ?

Il m'examina un instant, sans rien écrire. Je compris que si je voulais savoir quelque chose, ce serait du donnant-donnant.

— Personne n'est au courant pour le tatouage, Mike. Je crois que je suis la seule à qui Del l'ait montré. Elle en était vraiment fière. Elle m'a dit que c'était quelqu'un de très spécial qui le lui avait fait.

Il gribouilla frénétiquement.

Je n'ai pas tué Del.

— Je te crois. Je veux juste que tu me parles du tatouage.

Il écrivit à toute vitesse avant de pousser le bloc vers moi d'un air de défi. Il avait couvert la feuille de lettres bien nettes, étonnamment lisibles vu la rapidité avec laquelle il avait écrit.

J'étais aux urgences quand Del a été assassinée. J'y suis resté cinq heures. Ils ont fait des radios. Soigné mon bras et mon nez. Tu as vu la raclée que j'ai prise ce jour-là. Les flics savaient que je ne pouvais pas avoir tué Del. Ils n'ont eu qu'à téléphoner aux urgences et jeter un coup d'œil à mon bras déglingué.

— La police n'était pas au courant pour le tatouage, Mike. Le meurtrier l'avait découpé.

Ses traits se défirent et il fixa le dessus du bureau, les yeux vitreux comme des billes. Je poursuivis :

— Je te propose un marché. Si tu me dis la vérité sur le tatouage, je n'irai pas trouver la police. Je crois que tu ne l'as pas tuée. Matériellement, tu n'aurais pas pu. Mais je pense que c'est toi qui lui as tatoué la lettre *M*. Et je pense que la police serait très intéressée par ce détail.

Il me regarda dans les yeux, puis griffonna quelque chose.

C'était il y a trente ans.

— Certes. Mais au cas où tu ne le saurais pas, il y a eu un autre meurtre. Sur le même modèle. La fille d'Ellie Bushey. Ce qui fait que les flics s'intéressent soudain au meurtre non résolu de Del Griswold. Alors, est-ce que je vais leur raconter ce que je sais, ou est-ce que tu vas m'aider ? Je ne veux pas t'attirer des ennuis, Mike. Je veux juste savoir ce qui s'est passé. Et comprendre les événements des derniers mois de sa vie.

Je n'étais pas douée pour les ultimatums de flic dur à cuire, mais il fallait que j'avance. Je sentais que je n'étais pas loin de découvrir ce qui était arrivé à Del, et Mike constituait une pièce importante du puzzle.

Il leva les yeux vers moi, puis les baissa sur son bloc. Il prit le stylo et se mit à écrire, les sourcils froncés, les yeux plissés. Il serrait tellement le stylo que je crus qu'il allait le casser en deux. Il commença lentement puis écrivit de plus en plus vite, les lettres s'enchaînant comme s'il faisait la course. Il remplit trois pages. Dès qu'il en finissait une, il la déchirait pour la mettre devant moi, tout en commençant la suivante. Quand il eut terminé, il essuya la sueur de son vaste front et posa son stylo.

Peu de gens connaissaient Del comme moi. Ils disaient que ce n'était qu'une pauvre attardée, et je crois qu'ils pensaient la même chose de moi. « On se ressemble comme deux petits pois dans la même gousse », c'est ce que je lui écrivais dans mes petits mots. Del disait qu'on était plutôt comme des oignons, parce qu'on avait plein de pelures. Lorsque les gens nous regardaient, ils ne voyaient que l'extérieur tout sale, et basta. C'est comme ça que Del voyait les choses.

Je me suis fait mon premier tatouage à douze ans. Un petit cœur avec les initiales DG à l'intérieur. Sur ma cuisse gauche. « Dear God. » C'est ce que je dis à Lucy, mais elle se doute que je mens. Je ne lui ai jamais parlé de Del. Pas une fois. Je ne crois pas qu'elle me jetterait, mais elle serait anéantie. De savoir que j'ai aimé une autre fille à ce point-là. Même si j'étais qu'un gosse. Et si elle découvrait que cette fille était morte, il n'y aurait plus de compétition possible. On ne peut pas lutter contre un premier amour, surtout si elle est morte. On aura toujours l'impression d'arriver deuxième.

Je l'aimais vraiment, Del. Avec toutes ses pelures. Même si ça me faisait pleurer quand je les enlevais. On aurait dit qu'elle trouvait toujours de nouvelles raisons de me faire pleurer. Elle me disait qu'il y avait d'autres garçons. Me racontait parfois ce qu'elle faisait avec eux, comme pour m'exciter ou me rendre jaloux, mais en fait ça me faisait juste pleurer. Alors elle disait que j'étais le seul. Que j'étais spécial. Et pour le prouver, elle m'a demandé de lui tatouer mon nom sur sa poitrine. Comme ça on serait liés... pour toujours. Ouais, pour toujours.

Enfin, comme tu le sais, toujours, ça n'existe pas. Je n'ai pas pu aller plus loin que le M. Parce qu'un salopard, un des autres types, je suppose, l'a tuée. Peut-être qu'il a vu le tatouage et qu'il a explosé dans une crise de jalousie. Peut-être que c'est pour ça qu'il l'a découpé. Pour qu'elle soit toute à lui. Je pourrais presque comprendre ce raisonnement de taré. Je ne savais pas que le tatouage avait été découpé. J'ai toujours pensé que les flics viendraient m'interroger au sujet de ce M, mais j'attends encore.

Bref, je le répète, je ne l'ai pas tuée et je ne sais pas qui l'a fait. Putain, c'était un mystère, cette fille ! Je l'aimais, c'est vrai, mais je n'ai jamais pu m'approcher du centre, si tu vois ce que je veux dire. Du cœur de l'oignon. Je me suis contenté d'égratigner la surface. J'y ai laissé mon M comme une marque.

Lorsque j'eus fini ma lecture, je repoussai les feuilles vers Mike le Dragon.

— Merci, marmonnai-je.

J'éprouvais des sentiments complexes. Un mélange de jalousie, d'humilité, de chagrin. Est-ce que je m'étais jamais laissée aller à aimer quelqu'un comme Mike avait aimé Del ? Aimer quelqu'un assez fort pour graver ses initiales sur ma peau, et les miennes sur la sienne ? Je l'enviais d'avoir vécu un tel amour. Et qu'il ait pu connaître Del de cette façon. Je compris que je n'avais pas eu le cran d'éplucher l'oignon, pas seulement avec Del, mais avec quiconque. Même pas avec mon mari. Ex-mari.

Une chose était claire : je n'avais pas connu Del du tout. Je ne savais rien d'un pan entier de sa vie. Une vie avec des garçons qui l'aimaient, lui faisaient des tatouages, flirtaient avec elle. Et l'un d'eux l'avait tuée. Au fond de moi, je savais que ce n'était pas le malabar en face de moi. Il l'avait aimée, lui avait tatoué le *M*, mais je ne pensais pas qu'il l'avait tuée, ni qu'il savait qui l'avait fait.

— Je crois que j'aimerais bien un tatouage, Mike le Dragon, lui dis-je, soudain pleine de spontanéité et de courage.

Il me sourit.

— Un nom : Rose du Désert.

Mike prit une page vierge sur son bloc. Il écrivit le nom en lettres un peu semblables au *M* qu'il avait tatoué sur la poitrine de Del.

Tu veux des fleurs autour ? Une rose rouge, peut-être ?

— Non, juste le nom.

Où le veux-tu ?

— Sur la poitrine, là où tu as fait le *M* de Del.

Mike m'emmena derrière le rideau. Pendant qu'il s'installait, je lui parlai de l'étoile.

— Mike, tu te rappelles l'étoile de shérif que tu avais donnée à Del ?

Il eut l'air décontenancé, et prit son bloc pour griffonner sa réponse :

Ce n'est pas moi qui lui ai donné.

— Alors, qui est-ce ?

Sais pas. Elle avait dit il me semble que c'était son frère, ou quelqu'un que connaissait son frère, peut-être. Oui, je pense que c'est ça. Un copain de son frère.

— Quel frère ?

Le plus jeune, je crois. Celui dont elle était proche. Je me souviens plus de son nom.

— Nicky ?

Oui, c'est ça, Nicky. Un copain de Nicky. Il n'avait pas un copain que Del connaissait bien ? Un gars plus vieux, qui vivait chez les hippies. C'est lui qui lui avait donné l'étoile.

15

Le dernier jour d'école, nous avons fait des jeux
– foot, concours de crachat de graines de pastèque,
course à trois pattes. L'orchestre de flûtes a joué les
morceaux qu'il avait répétés durant l'année. Et tous
les élèves de CM2 allaient recevoir un diplôme,
même Artie Paris aurait droit à un document qui lui
permettrait enfin d'intégrer le collège.

Le terrain de foot était un espace non clos situé
derrière la cour, et tous les élèves de l'école élémentaire y étaient rassemblés. Vers onze heures le direc-
teur a commencé à faire griller les hamburgers et les
hot dogs.

Après un long déjeuner chaotique, Mlle Johnstone appela les CM2 pour la course au trésor. Nous
reçûmes tous une liste d'éléments à trouver, ainsi
que des indices pour les plus obscurs. Certains objets
étaient simples : un caillou de la taille d'une pièce de
dix cents, un bouton-d'or. D'autres avaient été
disposés par les instituteurs : « Trouve le poème dans
les arbres et recopie-le. » « Près de la remise tu verras

le portrait d'un homme célèbre ; dis son nom et ce qu'il a fait. »

J'étais devant le portrait, en train d'écrire « le président Abraham Lincoln », et de raconter qu'il avait libéré les esclaves avant de se faire tuer dans un théâtre par un homme appelé John Wilkes Booth, lorsque Ellie déboula derrière moi, tout essoufflée.

— Ils ont chopé la Patate et Mike le Muet près de la rivière ! Viens, dit-elle en me prenant la main pour m'entraîner à sa suite.

Aux yeux des instituteurs, nous devions avoir l'air de deux fillettes enjouées et innocentes qui partaient à la chasse au trésor. Nous courions vite et Ellie riait, sa jolie robe jaune battant ses genoux dépourvus d'égratignures. *Ça fait plaisir de voir que cette petite sauvageonne de Kate s'est enfin fait des amies*, ont-ils peut-être commenté. *Elle a fini par s'adapter.*

Derrière le terrain de foot s'étendait une parcelle de hautes herbes nous arrivant à l'épaule, qui faisaient place ensuite à des roseaux de la taille de bambous. J'avais entendu dire que si on savait où regarder dans ces herbes, on trouvait une brèche secrète, le début d'un chemin. Ce chemin traversait les herbes, les roseaux et les fleurs sauvages, et menait droit à la rivière. C'est là que les élèves allaient en cachette pendant les récréations ; ils apportaient des bouteilles de soda et jouaient à faire péter les capsules, ou ils en profitaient pour se peloter (enfin, selon la rumeur). Ellie semblait connaître les lieux et plongea sans hésiter dans un léger creux entre les roseaux, moi sur ses talons. L'herbe mouillée trempa mon jean. Elle m'emmena en direction des bruits d'eau et des quolibets, enfonçant ses doigts dans la paume de ma main.

C'était plus un ruisseau qu'une rivière. On n'y pêchait que du menu fretin, et, lors des crues de printemps, l'eau nous arrivait à peine aux genoux.

Lorsque nous atteignîmes la clairière sur la rive, je vis une douzaine d'enfants rassemblés en un vague demi-cercle, qui regardaient par terre en scandant des chants de la Patate.

Ellie me donnait toujours la main quand nous rejoignîmes le cercle. Je suppose que c'est la première chose que vit Del en levant les yeux vers moi.

Elle était allongée sur le dos dans le sable, appuyée sur les coudes. Debout devant elle, Artie Paris avait bloqué les bras de Mike le Muet et tenait le grand échalas comme un pantin.

Hou, la Pa-ta-te, la Patate pourrie,
T'as plus qu'à te barrer, on veut pas de toi ici !

Les enfants braillaient chaque mot dans les oreilles de Del. Quelques garçons lui crachèrent dessus, et le gros Tommy lui donna un coup de pied dans les côtes.

Hou, la Pa-ta-te, la Patate qui pue,
Del Griswold bouffe que des patates crues !

— Rose du Désert, marmonna Del, visiblement soulagée de me voir.

Sa lèvre saignait. Je pensai qu'elle se l'était peut-être mordue en tombant. Ou alors elle avait pris une baffe. Difficile à dire. La seule chose évidente, c'était que Del était en danger et il semblait bien que je représentais sa dernière chance. Son adjointe était arrivée.

Tous les enfants présents se mirent à lui lancer des pierres, des petits cailloux dont ils avaient bourré leurs poches. Elle en fut mitraillée et sursautait à chaque coup comme à une piqûre d'insecte.

Je sais que j'aurais dû me précipiter aux côtés de Del, l'aider à se relever et menacer Artie. J'aurais dû agir en bonne adjointe et soutenir mon shérif jusqu'au bout.

À la fac, j'ai lu dans un manuel de sociologie qu'il existait un instinct grégaire. Voilà ce qui se rapprocherait le plus d'un semblant de justification. J'ai été emportée par le sentiment d'appartenance à un groupe, et, dans ces instants de confusion, cette sensation m'a semblé plus réelle, plus excitante que mon amitié pour Del.

J'avais dix ans, bon sang ! Personne ne fait ce genre d'erreur à cet âge-là ? Personne n'a des moments de faiblesse, de cruauté, inspirés par la peur ?

Si, bien sûr. Mais je soupçonne que peu de gens passent le reste de leur existence à revivre ces moments, à se jouer le jeu du « si seulement » : *Si seulement j'avais relevé Del ce jour-là, si seulement je m'étais montrée courageuse et loyale, comme elle l'aurait été pour moi, elle ne se serait peut-être pas fait assassiner.*

Mais ça ne s'est pas passé ainsi.

Hou, la Pa-ta-te, du soir au matin,
Ton père est ton frère, et ta mère est une putain !

Je la connaissais bien, celle-ci, je l'avais entendue des centaines de fois, mais sans jamais participer. Ce jour-là, Del par terre à mes pieds et la main d'Ellie dans la mienne, je me joignis à la horde.

Del continua à m'observer, son visage implorant se tordant dans un sourire de citrouille de Halloween, qui dévoila sa dent ébréchée. Puis, toujours à terre et bombardée de cailloux, elle se mit à rire. Elle rit comme si elle ne pouvait pas s'arrêter, ce qui augmenta la fureur de la foule autour d'elle. J'étais en rage.

— La ferme ! hurlai-je. Ferme ta gueule !

Les cailloux étaient de plus en plus gros. Elle tressaillait à chaque coup mais ne cherchait pas à s'échapper. Elle se roulait dans la terre en gloussant. Ellie se pencha pour ramasser une pierre et je l'imitai. Celle que je pris était lisse et sombre, de la taille et de la forme d'un œuf. Elle tenait parfaitement dans ma main.

— J'ai un truc pour toi, Del, annonça Artie en repoussant Mike le Muet d'un air dégoûté.

Tous arrêtèrent de jeter des cailloux. Nous regardâmes en silence Artie se diriger vers le bord de la rivière, où il ramassa quelque chose qui ressemblait à une grosse pierre marron. Il sortit un canif de sa poche et découpa l'objet – en fait une pomme de terre, comme je m'en aperçus bien vite – pour en prélever un morceau qu'il apporta à Del.

— Ouvre grand, Patate !

Del bloqua sa mâchoire, mais Artie lui ouvrit la bouche de force et y enfonça le morceau de pomme de terre.

— T'en veux encore, Delores ? dit-il en se mettant à califourchon sur elle.

Il lui fourra un autre bout de pomme de terre crue dans la bouche, et elle eut un haut-le-cœur et commença à suffoquer.

— Hé, Mike le Muet, tu savais que ta femme a un secret ? demanda Artie après avoir jeté le reste de la patate et s'être essuyé les mains sur les cuisses.

Il la chevauchait toujours et l'immobilisait de tout son poids. À genoux dans la terre à côté d'eux, Mike n'avait pas bougé depuis qu'Artie l'avait lâché. Del tourna la tête pour cracher des morceaux de pomme de terre. Puis elle reprit son rire de folle.

— Et si tu montrais ton tatouage, Del ? demanda Artie.

Le sourire disparut et elle se tut. Elle me regarda à nouveau, d'un œil furieux cette fois.

— Les traîtres, on leur tire dans le dos, siffla-t-elle.

— Quoi ? fit Artie. Qu'est-ce que ça veut dire ? Qui a dit que tu pouvais parler, sale Patate ?

Alors Del se défendit, essaya d'échapper à Artie en se tortillant et en ruant, mais il tint bon. Je vis qu'elle portait l'étoile argentée sur sa poitrine, mais l'insigne ne suffirait pas à la protéger. Tu parles d'un talisman !

— Qui veut voir le tatouage de la Patate ? Vingt-cinq cents par tête de pipe. Approchez. Faites la queue. Il est où, d'abord, ce tatouage, Delores ? Sur ton cul ?

Il se souleva, la retourna, et d'un geste brusque, baissa son pantalon. Sa culotte était imprimée de fleurs aux couleurs passées. Comme l'élastique avait craqué, elle était lâche et ressemblait à une culotte de clown. Artie la descendit complètement, exposant ses fesses nues.

— Y a rien ! brailla-t-il.

Mais si, il y avait bien quelque chose : ses fesses étaient couvertes d'ecchymoses marron et jaunes, dessinant plus ou moins la forme d'une main. Ellie poussa un petit cri et me lâcha.

— Putain, qui c'est qui t'a fait ça ? demanda Artie.

Voir Del dans cet état fut plus d'injustice que Mike le Muet ne pouvait en supporter. Il était maigre mais grand, et lorsqu'il fonça sur Artie, tout le monde fut surpris.

Les deux garçons roulèrent sur la berge de la rivière cet après-midi-là, faisant voler du sable, grognant et haletant comme si aucun des deux ne pouvait parler. Artie fit subir un tabassage en règle à Mike le Muet. Je n'ai pas vu de bagarre aussi violente depuis. Pire que toutes les échauffourées à l'hôpital ou que les matches de boxe où Jamie me traînait quand nous sortions ensemble. Je regardai Mike se faire casser le nez et déboîter le bras, qui se mit à pendre mollement comme une aile inutile. Mais Mike continua à se battre, animé sans aucun doute par son amour pour la Patate, son besoin de lui faire honneur publiquement. Il était trop occupé à se faire tabasser pour s'apercevoir que Del se levait et partait à reculons, lentement d'abord, avant de tourner les talons et de courir. Les autres, distraits par la bagarre, hurlaient « Fous-lui une raclée, Artie ! » et « Du sang ! Du sang ! », et ne remarquèrent pas que Del fichait le camp. Elle ne courut pas vers la sécurité du terrain de foot et des instits, mais longea la rivière en direction de la ville. Et sans réfléchir plus que ça, je courus à sa poursuite, ma pierre dans la main. Au milieu du vacarme engendré par la bagarre, personne ne fit attention à nous. Et nous voilà parties en courant.

Del avait toujours été plus rapide que moi, et malgré mes efforts je ne parvins pas à gagner du terrain. D'ailleurs, je ne sais pas ce que j'aurais fait si je l'avais rattrapée. La pierre dans ma main disait que je ne la poursuivais pas pour lui présenter mes excuses.

Pas de « tu m'attraperas pas ! » joyeux cette fois. Juste le bruit de nos pas qui martelaient la terre et les cailloux, nos battements de cœur assourdissants. Je la suivis pendant plus d'un kilomètre jusqu'au pont de Railroad Street, où je la regardai tourner dans le champ de M. Deluca et accélérer encore pour rentrer chez elle.

La dernière image que j'ai de Del vivante, c'est elle courant dans ce champ, son chemisier jaune de cow-girl flottant derrière elle, un fantôme déjà, d'une certaine façon.

16

Juste après six heures, je m'arrêtai à une cabine pour appeler la maison. Le nom sur ma poitrine bandée brûlait comme cent piqûres d'abeille. Je me dépêchais de rentrer à New Canaan avant la neige qui selon la radio était imminente. Il avait commencé à neiger dans le sud du Vermont et la tempête remontait vers le nord. La nuit allait être difficile. Les bulletins météo me rappelèrent ce qu'Ellie avait dit, que les gens rendaient la Patate responsable du mauvais temps. C'était peut-être la tempête de Del qui s'annonçait.

— Salut, Raven. Je suis sur la route. Je voulais juste savoir si tout allait bien.

— Kate ! Je suis contente de t'entendre. Il y a eu un accident.

— Maman ?

— Non, non, pas Jean. Elle s'est réveillée après ton départ et elle a peint dans son atelier tout l'après-midi. Pas de travaux de déco cette fois. Elle a été très calme. C'est Nicky. Il a eu un accident de voiture en

272

début d'après-midi, juste après ton départ. Près de la cascade.

Je me rappelai la sirène sur le scanner de Jim.

— C'est pas vrai ! Il va bien ?

Je retins mon souffle, craignant le pire.

— C'est assez grave, mais ça va aller. Il a une cheville cassée, des coupures et des bleus. Il va sortir de l'hôpital. Il appelle toutes les vingt minutes pour savoir si tu es rentrée. Ça me rend folle, ce téléphone qui n'arrête pas de sonner. Il voudrait que tu viennes le chercher. Il dit qu'il a besoin de toi.

Cette dernière phrase fut prononcée sur un ton de sarcasme puéril.

— Alors, si tu peux rester un peu avec maman, je fais un crochet par l'hôpital pour le prendre.

— C'est bon, Kate. J'attends toujours Opal. Elle est partie à vélo juste avant que je vienne garder ta mère. Elle doit me retrouver ici pour dîner. J'ai fait de la ratatouille, on vous en laissera.

L'infirmière des urgences fit le point avec moi sur l'état de Nicky. Elle me dit qu'une commotion cérébrale n'était pas exclue et me donna une liste de signes alarmants. Elle eut l'air soulagé quand je lui dis que j'étais infirmière diplômée.

— Alors vous savez qu'il faut le surveiller cette nuit.

— Il peut dormir chez ma mère et moi. Nous nous occuperons de lui.

Elle me conduisit dans la pièce où Nicky se reposait sur un lit roulant. Son pied gauche était plâtré, son visage, coupé et enflé, avec sept points de suture au-dessus de l'œil gauche et deux sur le lobe de l'oreille gauche. Il sourit quand il me vit.

— Salut, Rose du Désert. C'est moins méchant que ça paraît. Je ne me sens pas si mal que ça.

— Je m'en doute, avec tous les antidouleurs qu'ils t'ont filés. Qu'est-ce qui s'est passé, Nicky ?

— Écoute, emmène-moi et je te raconterai dans la voiture. C'est pas trop loin pour aller chez moi si on prend les petites routes.

— Non, fis-je en secouant la tête. Tu viens chez ma mère. Tu n'es pas en état de rester tout seul. Dans la matinée, on ira chez toi prendre quelques affaires. Tu resteras avec nous aussi longtemps qu'il faudra.

— D'accord, madame l'infirmière, je suis entre de bonnes mains. J'aurais eu un accident plus tôt si j'avais su que ça me vaudrait de me mettre en ménage avec toi !

Il me fit un sourire depuis son lit.

L'infirmière revint avec les papiers à signer pour la sortie de Nicky. Son pistolet avait été confisqué par un des policiers de service aux urgences, et elle nous expliqua comment le récupérer. Un aide-soignant roula Nicky jusqu'à la voiture tandis que je me chargeais des béquilles et des médicaments. Je pris aussi le pistolet, arguant qu'avec les antidouleurs il était hors de question qu'il le garde sur lui.

— Si je me souviens bien, tu es une sacrée bonne tireuse, dit-il. Ça pourrait être dangereux.

Je mis le pistolet dans la poche de ma parka après que Nicky m'eut montré que la sécurité était mise.

Il parvint à s'installer dans le siège du passager et à boucler sa ceinture. La première chose qu'il me demanda lorsque nous eûmes démarré fut une cigarette.

274

— Je n'en ai pas. On peut s'arrêter pour en acheter.

— Et aussi une bouteille, peut-être. Je boirais bien quelque chose de fort.

— Pas avec les médocs, Nicky. Pas d'alcool. Tu es suffisamment dans le potage. Bon, tu me dis ce qui t'est arrivé ?

Il se tut un instant.

— Alors ? insistai-je, impatiente.

— D'accord, je te raconte. Tu seras probablement la seule à me croire, avec tout ce qui t'est arrivé de bizarre ces temps-ci. J'ai dit aux flics que j'avais fait un écart pour éviter un chien sur la route, mais ce n'est pas vrai, Kate. Je revenais de chez toi cet après-midi et je réfléchissais, un peu perdu dans mes pensées. Je pensais à toi, surtout. À cette nuit.

Il posa sa main sur ma cuisse et serra. Puis ses doigts remontèrent lentement jusqu'à ce que je l'arrête en posant fermement ma main sur la sienne.

— Et qu'est-ce qui s'est passé ?

Il enleva sa main, et scruta la nuit noire à travers le pare-brise.

— Ben, je suis arrivé au virage près de la rivière, tu sais, à l'endroit de la cascade ?

Je fis oui de la tête, en repensant à la carte postale de l'ancienne roue à eau dans le magasin d'Ellie. L'endroit que Nicky me décrivait était celui de la photo.

— Et tu me croiras si tu veux, mais une petite fille a déboulé sur la route. Elle a traversé juste devant mes roues, Kate. Aussi vite qu'un coyote, putain ! J'ai fait une embardée sur la droite pour l'éviter. Instinctivement. Et du coup le pick-up s'est mis à rouler vers la

275

rive, et moi avec. Après j'ai dû m'évanouir. Quand je suis revenu à moi, le côté droit du pick-up était carrément au milieu de la rivière près de la cascade. Heureusement que c'est une rivière de rien du tout, l'eau allait pas plus haut que les roues. Le pare-brise était en miettes, il y avait de l'eau et du sang partout. Je me suis essuyé les yeux et quand j'ai regardé par la vitre, elle était là, plantée sur la rive, en train de rigoler. Del. Ma petite sœur, putain. Je suis retombé dans les pommes, et quand j'ai repris connaissance, Jim Haskaway et deux pompiers étaient en train de me dégager de la bagnole pour me ficeler sur une planche.

Je ne dis rien, me contentant de m'agripper au volant et de fixer la route sombre. Il commençait à neiger.

— Je sais bien ce que tu penses, poursuivit Nicky. Tu penses que j'ai tout imaginé. Que j'ai des hallucinations. Mais je te jure, Kate, c'était Del qui était là à me regarder, aussi sûrement que tu es à côté de moi. C'était Del.

En fait, je le croyais, mais je trouvais plus confortable de me cantonner dans le rôle bien rôdé de la sceptique. Ça rendait tout cela un peu moins terrifiant.

— Et tu n'avais pas picolé ?

— Enfin, Kate ! Je partais de chez toi. J'étais complètement à jeun ! Tout ce que j'avais dans le ventre, c'était le sandwich au thon et le verre de lait que tu m'avais donnés.

Il neigeait plus fort et j'avais l'impression de piloter un vaisseau spatial dans un épisode de *Star Trek*. Je finis par rouler comme un escargot, craignant de ne plus voir la route.

— J'ai une autre question, lui dis-je.

— Vas-y.

— Tu sais qui est le père d'Opal ?

Je détournai quelques secondes les yeux du paysage enneigé pour fixer Nicky. Il se mit à se tortiller comme s'il essayait de trouver une meilleure position sans y parvenir.

— Oui. Raven me l'a dit. Aux obsèques de mon père, tu te rends compte ? Je crois qu'elle est venue au funérarium rien que pour voir par elle-même, pour s'assurer qu'il était vraiment parti. Bon Dieu, je pense que la moitié des gens présents étaient là pour la même raison. Mon père n'avait rien d'un saint. Il a fait du mal à plein de gens au cours de sa vie, y compris Del et moi. Il nous traitait pire que des chiens quand il était bourré. Et parfois la nuit je l'entendais aller dans la chambre de Del. Je savais ce qu'il voulait. Mais Del n'en a jamais parlé, et moi non plus. Alors, quand Raven m'a dit ce qu'il lui avait fait, j'étais pas vraiment étonné. Je sais pas ce que Raven attendait de moi mais, de toute façon, je pouvais pas lui donner. Je pouvais pas m'excuser pour lui, ni expliquer pourquoi il était comme ça. Après, quand elle m'a dit qu'elle était enceinte et qu'elle voulait garder le bébé, j'ai failli tomber à la renverse. Je lui ai proposé de l'aider, de lui donner ce que je pouvais, tu vois, mais elle a refusé. Je suppose qu'elle ne voulait pas qu'un enfant innocent doive quoi que ce soit à notre famille de tarés. Je la comprends. J'aurais juste voulu faire quelque chose pour elle.

Nous restâmes silencieux pendant le reste du trajet. J'allai chez Haskie acheter un paquet de cigarettes en laissant tourner le moteur. À mon grand soulagement, une jeune fille se trouvait derrière le comptoir, pas de Jim en vue. Les lumières du magasin d'antiquités étaient éteintes. Ellie aussi était rentrée chez elle.

Au pied de Bullrush Hill, en regardant chez les Griswold au-delà de la boîte aux lettres cassée et de l'écriteau qui se balançait au vent, je distinguai un mouvement dans la cour. Il faisait sombre et la neige tombait dru, mais j'aperçus distinctement un enfant blond qui disparaissait derrière la maison.

— Tu as vu ? demandai-je en freinant.

La voiture dérapa sur cinquante centimètres.

— Quoi ? fit Nicky en suivant mon regard sur ce qui restait de son ancienne maison.

Del. C'était Del.

— Non, rien. Sans doute un animal.

Je me dis que Nicky était suffisamment agité sans que je lui parle de ce que je croyais avoir vu. Après tout, il s'agissait peut-être bien d'un animal, et mes yeux me jouaient des tours. Avec cette neige, il était difficile de bien distinguer, tout prenait un aspect éthéré, comme dans un rêve. La tempête de Del.

J'accélérai et repris la montée, tandis que les pneus glissaient et patinaient sur la neige.

Raven était dans tous ses états lorsque nous arrivâmes chez ma mère. Gabriel se trouvait avec elle dans la cuisine.

— Opal est introuvable ! Elle a disparu. J'ai appelé tous ses copains. Personne ne l'a vue. Ça fait quatre

278

heures qu'elle est partie et elle ne traînerait pas dehors à bicyclette par ce temps. Il lui est arrivé quelque chose.

Nicky s'assit avec difficulté et appuya ses béquilles contre sa chaise.

Je voulais dire à Raven de se détendre, qu'Opal allait arriver en pleine forme d'une minute à l'autre, mais je sus tout de suite que ce n'était pas vrai.

— Tu as appelé la police ?

— Bien sûr. Ils ont dit de ne pas m'en faire encore, mais ils vont passer dans une heure environ pour examiner le couteau que j'ai trouvé.

— Quel couteau ?

— J'ai trouvé ça cet après-midi quand je faisais la cuisine, dans le tiroir fermé à clé. Il n'appartient pas à ta mère. Je ne l'ai jamais vu.

Raven me tendit un sac en plastique scellé contenant un petit couteau à découper. Je reconnus celui dont ma mère s'était servie pour couper les fraises le premier matin. Le lendemain du meurtre. Dans un flash je la revis, toute débraillée, les pansements souillés de feuilles, de terre et de ce qui ressemblait fort à du sang séché. Est-ce que ma mère était allée dans les bois et y avait trouvé le couteau ?

Une autre pensée plus terrifiante fit surface, celle que je repoussais jour après jour. Ma mère avait-elle utilisé ce couteau ? Était-il possible que cette vieille femme frêle et malade fût la meurtrière de Tori Miller ? Elle était à côté de la plaque la plupart du temps, mais capable de meurtre ? J'en doutais.

Mais si Del, d'une façon ou d'une autre, s'était glissée en elle...

— Il y a un petit bout de cheveu blond sous le manche, dit Raven. On le voit quand on regarde bien.

Je pris le sachet, l'approchai et m'aperçus que Raven avait raison, il y avait bien un cheveu fin. Blond pâle.

— Je suppose que tu ne sais pas d'où vient ce couteau ? demanda Raven.

— Non, il est là depuis mon arrivée. On s'en est servies pour faire des pancakes aux fraises le premier matin.

Raven me regarda, les yeux plissés, reprit le couteau et le rangea soigneusement dans son sac à main.

— On va faire un tour avec la Blazer, dit Gabriel. Voir si on trouve Opal.

— Vous voulez que je vienne avec vous ?

— Non, répondit Gabriel. Tu restes là pour t'occuper de ta mère. On te tient au courant si on trouve quoi que ce soit.

— Soyez prudents, dis-je. Ça commence à drôlement glisser.

— Je vais faire chauffer le moteur, annonça Gabriel en sortant.

Raven se dépêcha d'aller mettre son manteau et ses bottes. Je la suivis dans l'entrée.

— Il y a de la ratatouille sur le feu, ta mère n'a pas voulu manger. Elle a travaillé à sa peinture jusqu'à environ six heures et demie, et puis elle est allée s'étendre dans sa chambre. Elle a dit que le tableau était fini. Une dernière chose, Kate, ajouta Raven en finissant de boutonner son manteau. Simple curiosité. Où est-ce que ta mère a trouvé ce vieil insigne ?

— Quel insigne ?

— Elle a épinglé une étoile de shérif rouillée sur son chemisier. On dirait un truc de gosse. Je me suis dit que c'était peut-être à toi quand tu étais petite.

Je la regardai bêtement, comme si elle parlait une langue étrangère.

Je me demandai si elle avait eu vent du petit détail de l'étoile disparue dans le meurtre non résolu de Del Griswold. Dans ce cas, elle aurait sûrement appelé les flics pour qu'ils me collent les menottes et des fers aux pieds.

— J'ai peur qu'elle se blesse avec, expliqua Raven. Les branches ont l'air bien pointues. Il faudrait peut-être essayer de lui enlever.

— Oui, je le ferai.

Un peu que je le ferai. Surtout avec la police qui se ramène.

Raven partie, je servis une assiette de ratatouille à Nicky et lui dis que j'allais me changer. Je voulais me retrouver seule un instant avec mes pensées.

Opal avait disparu. Je savais qu'elle était entre les mains de l'assassin. Des tas de pièces du puzzle tournaient en tous sens dans ma tête, mais certaines commençaient à s'assembler. Je savais que la prochaine étape serait une conversation avec ma mère. Mais d'abord, je voulais jeter un œil au tableau terminé.

J'eus peur à la pensée d'aller seule dans l'atelier, mais je ne voulais pas traîner Nicky avec moi. C'était quelque chose que je devais faire toute seule. Et puis, ce n'était qu'un tableau, après tout.

— Tu manges pas ? demanda Nicky lorsque je plaçai l'assiette devant lui.

— Non, j'ai mangé à Burlington, mentis-je.

— Qu'est-ce que tu es allée faire là-bas, d'ailleurs ? Raven m'a dit que tu devais voir un vieil ami. C'était Mike ? Tu l'as trouvé ?

— Non. Je suis allée dans son salon, mais il n'était pas là.

Le second mensonge fut plus facile que le premier. C'était plus simple et plus sûr que d'aller lui raconter tout ce que j'avais appris et tout ce que je commençais à soupçonner.

— Je reviens. Je vais me changer.

— Tu vas mettre quelque chose de plus confortable ? demanda-t-il avec son sourire en coin.

Je passai mes doigts dans ses cheveux et il se pencha pour poser sa tête contre mon ventre. Il remonta mon chemisier et se mit à m'embrasser, doucement d'abord, puis en faisant courir sa langue le long de la ceinture de mon jean jusqu'à ce que je le repousse en frissonnant.

— Tu dois être un peu abruti par les médocs, lui dis-je.

Il voulut m'attirer à lui de nouveau, mais je me dégageai d'un mouvement dansant, en lui jurant que je n'en avais pas pour longtemps.

J'emportai une bougie dans l'atelier et fermai la porte derrière moi. Ma mère avait recouvert le chevalet d'un vieux drap blanc.

Je m'approchai en tenant la bougie devant moi, les mains tremblantes. Lorsque je retirerais ce drap, ce serait comme si je dépouillais un enfant de son déguisement de Halloween. J'avais peur de découvrir Del elle-même sous le drap. Je le regardai et j'aurais juré le voir bouger, onduler légèrement comme sous une brise que je ne sentais pas.

Ce n'est qu'un tableau. Un tableau.

Je tendis la main, attrapai le drap et tirai.

Les flammes, hypnotiques, semblaient presque en trois dimensions, dans des tons de rouge, orange, jaune, bleu et violet. L'ombre de la silhouette était à présent une vraie personne, qui paraissait à l'aise dans les flammes. Comme si elle en était issue. La fillette que ma mère avait peinte dans le coin était la réplique exacte de Del vêtue de sa chemise jaune de cow-girl et de son pantalon de velours côtelé bleu tenu par le gros ceinturon de cuir – sa tenue le jour de son assassinat. Ses yeux gris-bleu me dévisageaient et un demi-sourire flottait sur son visage tandis que les flammes l'entouraient, lui léchant les pieds comme des chiens affamés. L'étoile de shérif était épinglée sur sa poitrine, juste à l'endroit du *M* caché. *M* pour Mike. Mon tatouage me brûla en écho. J'entendis presque Del dire *Rose du Désert*. Un joli nom pour une jolie couleur. « *Salut, Rose du Désert.* »

— Salut, Del, dis-je en m'adressant au tableau.

Je pensais que, si je m'entendais parler, ma peur diminuerait.

La flamme de ma bougie s'éleva brusquement et éclaira la peinture. Le visage de Del s'illumina, entouré par la mer de flammes vivantes et colorées que ma mère avait peintes. Puis j'entendis un bruit, un rire tranquille. Il ne semblait pas venir exactement du tableau, mais de tout ce qui se trouvait autour de moi – des murs, des fenêtres, de sous le lit. La flamme baissa à nouveau et vacilla avant de s'éteindre, me laissant dans l'obscurité complète.

Je sus que je n'étais plus seule.

17

17 novembre 2002

Au fil des années, j'ai beaucoup pensé à Patsy Marinelli – me remémorant ses paroles le soir où je lui avais parlé de Del : « Les morts peuvent nous en vouloir. » Mais ce à quoi je pensais surtout, c'était à la fin de cette géante que nous appelions tous Mini.

Je n'étais pas présente lorsque c'était arrivé, mais j'avais vu emmener son corps lorsque j'avais pris mon poste. Les infirmières du soir m'avaient raconté leur version des événements, et j'avais complété les détails manquants avec ce que j'avais lu ensuite dans le journal de bord du service.

Après le dîner, Patsy était allée dire au revoir à tout le monde. Une des infirmières lui avait demandé en plaisantant où elle allait. « Mon mari vient me chercher, je vais partir bientôt », avait répondu Mini. Puis elle s'était rendue dans sa chambre et avait fermé sa porte.

« Pauvre Mini, avaient commenté les infirmières, voilà qu'elle a oublié que son mari est mort. »

Lors de la ronde de vingt-deux heures, elles avaient découvert Patsy Marinelli, le visage bleu, les yeux grands ouverts. Elle s'était étouffée avec sa langue.

« *Les morts peuvent nous en vouloir.* »

Je restai immobile, en attendant que mes yeux s'habituent à l'obscurité. Un petit carré de lumière entrait faiblement par la fenêtre, mais rien de plus. J'étais dans le noir complet. Le rire s'amplifia et devint plus aigu. Je songeai à appeler Nicky, mais je me dis qu'il aurait du mal à arriver jusqu'ici, en admettant qu'il m'entende. L'avertissement de Ron Mackenzie me revint brusquement à l'esprit : « *Hou, la Pa-ta-te, la Patate au four, elle vient te chercher, enferme-toi à double tour !* »

Je reculai d'un pas, puis de deux, et me tournai lentement vers la porte, les bras tendus devant moi, les doigts tâtonnant dans le néant. Dans la pièce, l'air était de plus en plus frais. Humide. Le sol semblait meuble sous mes pas, comme si je marchais dans la terre. Comme si j'étais revenue dans le cellier. L'odeur de Del flottait autour de moi – humidité, pommes de terre pourries, humus. Elle emplit mon nez et ma gorge, au point que j'eus l'impression qu'ils étaient vraiment pleins de terre et que je ne pouvais pas respirer.

J'avançai vers l'emplacement de la porte, mais mes mains ne rencontrèrent que le mur. Je continuai à tâtons, d'abord à gauche, cinq pas, puis à droite. J'avais l'impression de toucher du ciment froid et non les boiseries lisses que je savais être là. Je me rappelai la première fois où j'étais allée dans le cellier des Griswold : quand Del avait fermé la porte, j'étais sûre qu'elle m'avait enfermée à l'intérieur. Je sentais cette même panique aveugle s'installer :

Lorsque je trouvai enfin la poignée, le laiton était si froid qu'il me brûla la main. Je baissai mes manches et réussis à la tourner en protégeant mes doigts avec le tissu. Je la tournai vers la gauche et tirai, mais la porte ne voulut pas s'ouvrir, comme si on l'avait fermée à clé – pourtant il n'y avait pas de serrure.

Quelqu'un la maintenait-il fermée ? Ma mère, qui se vengeait d'être enfermée toutes les nuits, ou Nicky peut-être, afin de prouver que le fantôme de sa sœur existait bien ? Mais le rire…

Je tapai à la porte tandis que mon esprit luttait pour trouver une explication plausible à tout cela, mais il ne me venait que des hypothèses idiotes. Je me mis à hurler :

— Nicky ! Maman ! Faites-moi sortir ! Ouvrez la porte ! Pour l'amour de Dieu, ouvrez-moi !

Je collai mon oreille contre la porte, pour écouter si quelqu'un venait à mon secours, mais je n'entendis que le rire de Del. Il semblait venir de partout. C'était un rire rusé. Un rire qui disait *Je t'aurai*. Le rire que j'avais entendu lorsque Del était à terre le dernier jour d'école.

« *Les morts peuvent nous en vouloir.* »

Je secouai la poignée, m'affalai en sanglots contre le battant de bois et me mis à supplier doucement :

— Je vous en prie, laissez-moi sortir.

Je ne cherchais plus d'hypothèses et n'inventais plus de scénarios plausibles à présent. Del m'avait attrapée. Elle était revenue, exactement comme Nicky avait essayé de m'en avertir. Comme Opal l'avait prétendu depuis le début. Je m'appuyai contre la porte bloquée, en proie à cette vieille sensation que, quoi qu'il se passe désormais, Del avait la main. Elle dictait ses règles. Inutile de combattre l'inévitable. Mes épaules s'affaissèrent.

— D'accord, Del. Tu m'as eue. Qu'est-ce que tu vas faire, maintenant ?

Le rire cessa brutalement, comme si on avait appuyé sur un bouton, mais l'odeur épaisse d'humus et de pourriture s'intensifia.

La porte s'ouvrit vers l'intérieur avec une extrême violence et m'envoya valdinguer par terre. En glissant, je heurtai les pieds du chevalet, le tableau me tomba sur la tête et j'essayai de m'en débarrasser, avec l'énergie du désespoir et un peu de dégoût. La lumière inonda la pièce. À côté de moi gisait le portrait de Del, qui me regardait toujours. Je m'en éloignais tant bien que mal, en glissant sur les fesses, quand je me rendis compte que j'étais dans l'ombre de la personne – ou de la chose – qui avait ouvert la porte.

Il me fallut une sacrée volonté pour tourner la tête vers le seuil.

Lorsque je levai les yeux, ce ne fut pas le fantôme de Del que je vis au-dessus de moi, mais ma mère. Elle se tenait sur le pas de la porte en souriant, vêtue d'une robe d'intérieur en cotonnade, des caoutchoucs aux pieds. Ses mains étaient emmaillotées dans leurs épaisses bandes de gaze, pareilles à deux gants de boxe immaculés. Sur sa poitrine était épinglée l'étoile de shérif de Del.

Je me levai pour lui faire face, mais reculai lorsque je m'aperçus que l'odeur de pomme de terre pourrie émanait d'elle à présent.

— Je te connais ! s'exclama ma mère avec la voix de Del, en se balançant sur ses talons. T'as encore rien vu, Adjointe. T'as encore rien vu.

Elle fit demi-tour, marcha d'un pas décidé jusqu'à la porte d'entrée qu'elle ouvrit à la volée. Je traversai le salon et la suivis à distance. Une rafale de neige tourbillonnante se faufila par la porte ouverte, sa petite tempête perso. Elle sortit dans le noir.

— Maman ! Où tu vas, maman ? Reviens, tu vas prendre froid !

— Tu m'attraperas pas, Rose du Désert. Tu m'attraperas pas !

— Maman ! Attends !

Je me précipitai dans l'entrée et enfilai mes bottes. Je décrochai ma parka de la patère et la lampe torche de son clou.

— Qu'est-ce qui se passe, Kate ?

Arrivé de la cuisine en clopinant, Nicky se tenait en équilibre précaire sur ses béquilles et son pied valide.

— Maman vient de sortir. Sauf que je ne pense pas que ce soit vraiment elle. Je crois qu'elle est Del.

— Ta mère est Del ?

C'était Nicky qui me regardait bizarrement maintenant – voilà que le grand croyant avait l'air de douter.

Je n'avais pas le temps de lui expliquer.

— Nicky, tu restes là, d'accord ? Et ferme à clé. Si elle revient toute seule, ne la laisse pas entrer. Attends-moi.

— Je laisse pas ta mère entrer ?

— Ce n'est pas elle, je te dis.

Je remontai la fermeture Éclair de ma parka et sortis dans la neige, en allumant la lampe.

— Ferme à clé derrière moi.

Les flocons me cinglaient le visage. Je balayai de ma torche l'espace autour de la maisonnette et le long de la ligne d'arbres, mais pas trace de ma mère. Je ne vis que ses empreintes, qui menaient exactement là où je le pensais.

Je tâtai le pistolet de Nicky dans ma poche, en priant pour ne pas avoir à l'utiliser, mais rassurée par sa présence. Est-ce que je tirerais sur ma mère s'il le fallait ? Ce serait quand même un matricide si je tirais en fait sur le fantôme d'une petite fille ? Et comment tuer quelqu'un qui était déjà mort ?

Je me dirigeai vers le chemin et, une fois arrivée au rocher qui le délimitait, je tournai à droite et me mis en route une nouvelle fois le long du vieux sentier. Entourée par la forêt, l'obscurité s'épaissit. Mes pieds glissaient, et la nuit neigeuse semblait absorber la lumière de la lampe. Je ne voyais qu'à cinquante centimètres devant moi.

— Maman ? appelai-je dans le noir.

Mais ce n'était pas elle que je poursuivais, n'est-ce pas ?

— Del ? Del, attends ! Attends, Del !

Je me mis à piétiner, dans une tentative de course ralentie par la neige. Je glissais plus que je ne courais. Je tombai une fois, deux fois. À la troisième chute, la lampe m'échappa et je dus me mettre à quatre pattes dans les épines pour la récupérer. Lorsque je me relevai, le vent forcit et souleva des tourbillons de neige poudreuse. Les arbres gémirent. Je fixai les traces devant moi, illuminées par la torche.

Me menait-elle à ma mort ? Avait-elle attendu pendant toutes ces années, à tramer et à concocter sa vengeance ? Opal et Nicky avaient-ils raison sur toute la ligne ? Del avait-elle tué Tori Miller ? Del dans le corps de ma mère, sous médocs et divaguant ? Ma mère qui, comme par hasard, arborait des pansements ensanglantés et souillés de feuilles, et brandissait un couteau à découper le lendemain du meurtre ?

Nous étions proches à présent. Si proches. Je me dépêchai de traverser le bois, le faisceau de ma lampe braqué sur les empreintes devant moi, persuadée que je me perdrais sans elles. La neige tombait dru, et le vent la soufflait sur mon visage. Je devais sans cesse m'arrêter pour m'essuyer les yeux. Elle gelait mes cils, rendant floue ma vision déjà indistincte.

Les traces de ma mère bifurquaient à la fourche et se dirigeaient droit vers la vieille cabane penchée. Mais en scrutant le sol enneigé, je vis que ses traces rejoignaient deux autres paires d'empreintes venues de la direction opposée, du champ des Griswold : des assez petites et d'autres très grandes. Elles se remplissaient de neige et s'entrecroisaient, les empreintes se transformant ici et là en traînées.

— Vite, Rose du Désert, on n'a pas beaucoup de temps !

La voix de ma mère me parvint de l'obscurité, étouffée par la neige.

Je baissai les yeux vers les empreintes et soudain je compris.

Del ne me menait pas à ma mort.

Elle me menait à Opal.

Je distinguai l'ombre de la cabane juste devant moi. Elle semblait pencher dangereusement. Je m'arrêtai et fis courir le faisceau de ma lampe le long de la façade. Une faible lueur en sortait, les fenêtres et la porte ouverte dessinaient un effrayant visage tordu. Je ne vis aucun mouvement mais entendis des voix à l'intérieur. Puis un cri étouffé.

Je courus vers le seuil béant – ou était-ce une bouche ? – et entrai.

Ma mère se tenait près du vieux poêle ventru et regardait vers le grenier où une vieille lampe à pétrole suspendue au plafond se balançait. Par terre, Opal était allongée sur le dos, les mains attachées par une grosse corde ; une autre était enroulée autour de son cou. Elle avait un mouchoir enfoncé dans la bouche. Ses yeux étaient exorbités par la terreur. Et, la chevauchant, les deux bouts de la corde dans les mains, Zack.

18

17 novembre 2002

— Oh, regarde, on a de la compagnie ! s'exclama Zack en se détournant d'Opal pour nous examiner, sans lâcher les bouts de la corde, tel un scout prêt à faire une démonstration de nœuds. Jean, Jean, Jean. Mais qu'est-ce que tu fabriques dehors par ce temps ? fit-il en relâchant la tension de la corde. Et toi, Kate, tu n'as pas honte de laisser ta mère courir les bois en chemise de nuit par une nuit pareille ? La pauvre chérie va attraper la mort !

Mais ce n'est pas ma mère. C'est Del.

Petit à petit, je reconstituais les faits, j'assemblais les indices, tels les éléments composant les colliers d'Élan Paresseux. Comme celui que j'avais volé et donné à Del. Le seul cadeau que je lui avais fait.

« *C'est un copain de Nicky qui lui a donné l'étoile. Quelqu'un de spécial.* »

Zack nous regardait d'un air navré et secouait la tête comme une maman déçue, mais pas vraiment étonnée. Opal profita de ce moment d'inattention, battit frénétiquement des jambes et cambra tout son corps pour tenter de se dégager. Je crus un instant

292

qu'elle allait parvenir à se libérer et rouler dans le vide pour se retrouver par terre, deux ou trois mètres plus bas. *On a oublié les matelas*, pensai-je bêtement. Mais Zack ne bougea pas d'un pouce et se contenta de resserrer sa prise et d'appuyer son genou sur la poitrine d'Opal pour la faire tenir tranquille. Elle laissa échapper un léger *wouf* sous le choc.

Tout ce temps passé à s'entraîner à voler et à tomber, tous ces sauts du haut du grenier à foin, ces envolées à vélo sur les rampes qu'elle avait construites ! Sa passion pour les cascades qui défiaient les lois de la pesanteur et les cascadeuses aériennes qui faisaient des exercices de tir dans les airs, suspendues à des échelles de corde ! Et pourtant elle était là, sur le dos, immobilisée, sans atout dans sa manche, sans personne pour la sauver, à part moi.

Je tâtai l'arme dans ma poche et ôtai la sécurité. Je sentis le métal froid et implacable du pistolet. Je fermai la main dessus, plaçai mon doigt sur la détente. L'adjointe Rose du Désert était revenue.

Je n'avais pas pu sauver Del. Trente ans après, elle me donnait la possibilité d'éviter à Opal le même sort.

— Dis-moi, Zack. Pourquoi Opal ?

Je me disais que, si je pouvais le faire parler, il baisserait peut-être sa garde et je pourrais tenter quelque chose, même si je ne savais pas trop quoi.

Zack me gratifia d'un petit sourire obséquieux et réfléchit un instant. Puis, juste quand je me disais qu'il n'allait plus répondre, il parla.

— Cette demoiselle aux doigts agiles a emprunté quelque chose qu'elle n'aurait pas dû.

Ah, je comprenais tout à présent ! C'était la pièce manquante. Ça n'avait rien à voir avec le lien de parenté entre Opal et Del. Seulement avec les emprunts d'Opal.

— L'étoile de Del, avançai-je.

— Bravo ! La petite dame a gagné ! nous lança Zack, l'air vraiment jovial. Opal l'a trouvée dans le tiroir de mon bureau le jour où elle est venue m'apporter les cookies. Elle ne s'est pas contentée de la prendre, elle s'est permis de l'épingler sur le blouson de sa mère et de se balader avec ! Cette petite pétasse me narguait, me provoquait. Exactement comme Del.

— Alors tu as décidé de la tuer et de récupérer l'étoile avant que quelqu'un la reconnaisse, dis-je, complétant cette histoire par trop familière. Mais c'est Tori qui portait le blouson, et c'est elle que tu as tuée, par erreur. Au moins tu as eu l'étoile.

Et la pauvre Opal qui n'arrêtait pas de la chercher dans les bois, sans comprendre l'importance de cette pièce du puzzle. Elle voulait juste la remettre dans ton tiroir avant que tu ne remarques sa disparition.

— Elles se ressemblaient vraiment, tu ne trouves pas ? fit Zack avec un petit soupir. Et cet horrible blouson ! Oui, j'admets qu'il m'a trompé. Mais maintenant il y a un petit morceau de Tori qui tient compagnie au *M* de Del. J'ai gardé ce petit bout de Del sur mon cœur pendant toutes ces années.

— Dans la roue de la Vie, dis-je, malade à la pensée de ce minuscule carré de peau prisonnier à l'intérieur de la roue argentée, près du dieu de la Mort lui-même.

Je me rappelais les visages aux yeux immenses et au long cou dans le quart inférieur droit de la roue de la Vie – les fantômes affamés. Qu'est-ce qui peut rendre plus affamé qu'un morceau de soi disparu, pris en otage par son meurtrier ? Et voir ce même homme menacer la vie de sa sœur, sur qui on a veillé pendant plus de douze ans ? Del était bel et bien affamée. Suffisamment pour trouver un moyen de revenir.

Je regardai ma mère, ses pansements blancs tels des gants de boxe le long de ses flancs, l'étoile de Del rutilant à la lueur de la lampe. Le talisman qui, je le comprenais à présent, avait aidé mon amie à revenir et à rester ici, en empruntant le corps de ma mère. Un ancrage dans son ancienne vie, dans le monde physique.

Les doses de plus en plus importantes de médicaments que nous avions données à ma mère avaient bien fonctionné. Elle avait été tranquillisée, littéralement. Plus elle partait loin, plus elle laissait de place à Del – les calmants faisaient clignoter une lumière rouge indiquant que la place était libre.

— Comment tu as fait pour que ma mère te couvre ? Elle a dit à la police qu'elle était avec toi l'après-midi où Del a été tuée. Elle ne savait pas la vérité, quand même ?

Zack sourit en regardant ma mère.

— Je lui ai dit que j'étais avec Nicky. Elle en savait assez sur notre relation pour comprendre que j'avais besoin de mentir.

À ces mots, comme sur un signal, Nicky fit son apparition avec ses béquilles. Il enregistra la scène d'un regard embrumé par les sédatifs.

— Mais qu'est-ce que c'est que ce bordel ? Zack ? Kate ? Est-ce que quelqu'un pourrait m'expliquer ce qui se passe, bon Dieu ?

— Salut, beau gosse ! On parlait de toi justement, répondit Zack.

— Monsieur le professeur nous expliquait comment il s'était servi de ton histoire avec lui pour persuader ma mère de lui fournir un alibi, dis-je.

— Un alibi ?

— Il nous racontait aussi qu'il avait gardé un bout de la peau de Del à l'intérieur de sa roue de la Vie, continuai-je. Le *M* a toujours été là, accroché à son cou. Et maintenant il a aussi un morceau de Tori.

Nicky regarda Zack en plissant les yeux.

— Toi ? Toi, tu as tué Del ? Mais toi et moi, on... je croyais... putain...

Sa phrase se termina sur un sifflement léger, comme quand l'air finit de s'échapper d'un ballon qui se dégonfle.

— Pauvre Nick. Tu faisais partie du lot. Tu étais la cerise. Ta sœur était le gâteau.

Zack augmenta la tension de la corde et regarda Opal comme il avait dû regarder Del. Peut-être voyait-il vraiment Del.

— Elle était trop bien pour vous tous, dit-il. J'allais l'emmener loin de votre petite vie sordide. Toutes ces journées à trimer comme une damnée dans les champs, à s'abîmer les mains, à écouter les chansons débiles de la Patate, toutes ces nuits où elle se réveillait pour trouver son père à côté

296

de son lit, le pantalon baissé. J'allais la sauver. Mais elle a tout fichu en l'air.

— Je comprends, Zack, dis-je. Tu l'aimais. Ce que tu avais était spécial – voilà pourquoi tu lui as donné l'étoile. Mais avec ce tatouage… Tu n'as vraiment pas eu le choix, poursuivis-je en haussant les épaules. Mais Zack, ça, c'était Del. Tu n'as pas à punir Opal. Lâche cette corde et laisse-la partir.

— Oh, c'est impossible, j'en ai peur ! Cette petite pétasse va rejoindre sa sœur.

Les yeux d'Opal s'écarquillèrent à cette ultime révélation. Mais elle n'eut pas vraiment le temps d'assimiler la nouvelle.

— Non ! hurla Nicky qui se dirigea vers l'échelle de toute la vitesse de ses béquilles.

Zack tira sur la corde, ce qui souleva du sol la tête d'Opal. Elle rua et battit des jambes en luttant contre la suffocation, et j'eus un horrible aperçu de ce qu'avaient dû être les derniers moments de Del.

Je sortis le pistolet de ma poche et ajustai ma cible exactement comme Nicky me l'avait enseigné autrefois.

Je pressai la détente, naturellement. Je n'eus pas même une seconde d'hésitation, j'allais faire la seule chose que j'avais souhaitée faire pendant toute ma vie.

Enfin, je pouvais sauver cette fillette.

Je grimpai dans le grenier au ralenti, me sembla-t-il, en pensant à toutes les fois où je l'avais fait quand j'étais petite, à la suite de Del et Nicky. Il me sembla reconnaître l'odeur de nos cigarettes, le bruit du couteau lorsqu'il touchait la cible sur le mur. Le couteau dont Del s'était servie pour nous entailler le doigt, avant de mélanger nos sangs et nous lier l'une à l'autre, pas seulement dans la vie, mais aussi dans la mort. Sœurs de sang.

Je contournai Zack, me mis à genoux, enlevai la corde à présent desserrée du cou d'Opal avant de détacher ses mains et ses pieds. Elle haleta de façon déchirante lorsque je sortis le mouchoir froissé de sa bouche.

— Ça va, lui dis-je. Ça va aller. Je vais t'emmener.

Puis je me tournai vers Zack, dont le corps recroquevillé avait un peu la forme d'un point d'interrogation. Je n'avais pas besoin de vérifier son pouls pour savoir qu'il était mort, néanmoins je cherchai sa carotide et ne sentis que la peau fraîche et humide. Il y avait étonnamment peu de sang, le trou dans sa poitrine semblait petit et me rappela la tourterelle que Del avait tuée jadis et la façon dont elle avait rabattu les plumes et couvert l'entrée de la blessure avec les doigts.

Cet homme était l'amant de ma mère. Il la faisait rire. Au temps du tipi. Au temps où nous pensions tous que l'utopie était réalisable.

Je mis la main sur le pendentif et le fis passer doucement au-dessus de la tête du professeur mort. Il était curieusement léger, si on considérait sa taille et son contenu. Le dieu de la Mort grimaçait ; les fantômes affamés semblaient pousser un soupir collectif de soulagement.

Le pendentif dans la main droite, j'aidai Opal à descendre l'échelle. Je l'assis, toute tremblante, sur l'un des lits de camp bouffés aux mites et apportai le pendentif à ma mère, qui l'accepta avec un sourire et le pressa sur sa poitrine, juste au-dessus de son cœur.

J'avais tant de questions à poser, tant de choses à dire, mais ce fut Del qui prit la parole :

— Bon, on est quittes, maintenant, dit-elle, tandis que je respirais l'odeur moisie d'humidité et de patate pourrie dans son haleine. Tu es toujours mon adjointe.

— Toujours. Croix de bois, croix de fer.

Et pour le prouver, je déboutonnai mon chemisier et enlevai le pansement. Il était là, inscrit à l'encre noire, mon secret à moi, au contour rouge et boursouflé, juste au-dessus de mon cœur.

Ma mère sourit et ferma les yeux, tandis que Del murmurait mon nom une dernière fois : « Rose du Désert. »

La roue de la Vie lui échappa et tomba sur le plancher de pin avec un son mat.

Un air familier de perplexité flotta sur le visage étrangement placide de ma mère.

— Sauterelle ? fit-elle, les yeux grands ouverts.

Et hop, Del était partie.

TROISIÈME PARTIE

19

Opal tira sur le col roulé qu'elle portait pour cacher le collier d'ecchymoses colorées – un véritable tour de cou – qui la marquait de taches violettes, jaunes et marron. Parfois, depuis la nuit dans la cabane, elle se retrouvait en panique, le souffle court, comme une asthmatique, et elle comptait lentement dans sa tête, comme le lui avait expliqué son psy : inspire, un, deux, trois, quatre ; expire, un, deux, trois, quatre.

C'est ce qu'elle faisait en ce moment, assise en face de Kate, au café de l'aéroport. Elle picorait sa tarte aux cerises, dont les fruits nageant dans un sirop rouge vif semblaient étrangement mous et pâles. L'embarquement pour le vol de Kate était prévu dans vingt minutes, et il y avait encore tant de choses qu'Opal voulait dire, tant de questions auxquelles Kate savait peut-être comment répondre. Raven et Nicky étaient descendus acheter du sirop d'érable.

— J'ai toujours voulu avoir une sœur, dit Opal.

— Del aussi, répondit Kate.

303

La sœur de Del. Il allait falloir un peu de temps pour qu'Opal s'habitue à cette idée, même si dans son cœur elle avait su que c'était vrai à l'instant où Zack l'avait dit. « *Cette petite pétasse va rejoindre sa sœur...* »

Opal se remit à compter ses respirations et continua de picorer sa tarte trop sucrée. Elle plongea la main droite dans la poche de son manteau et tâta son dernier trophée, un petit flacon de shampooing à l'huile d'arbre à thé. Kate ne s'en rendrait certainement pas compte et, si c'était le cas, elle se dirait qu'elle l'avait oublié dans la douche de la grange principale.

Les emprunts allaient devoir cesser. Elle savait qu'il le fallait. Ça avait causé assez de problèmes. Si elle n'avait pas pris l'étoile dans le bureau de Zack le jour où elle avait apporté les cookies, Tori serait toujours en vie.

Encore cette sensation d'étouffement. La pression de la corde grossière sur son cou. Elle tira sur le col roulé, massa les bleus douloureux. « *Inspire, un, deux, trois, quatre ; expire, un, deux, trois, quatre.* »

Elle pensa à ce qu'ils avaient appris le matin même : il y avait un troisième morceau de peau dans le collier de Zack, et la police étudiait des cas non élucidés de meurtres de jeunes filles dans la région de Toronto. Cela lui semblait encore irréel que son cher tonton Zack ait pu commettre de telles atrocités. Elle ne pouvait imaginer ses froids calculs, ses plans et ses manigances, son habileté à ne laisser aucune trace derrière lui.

Elle avait été si convaincue qu'il devait y avoir une erreur quand Kate lui avait parlé de l'étoile de Del. Elle avait pris son vélo et pédalé jusqu'à la fac pour demander à Zack comment il se l'était procurée, persuadée qu'il y avait une explication raisonnable. Et il avait eu l'air sincèrement étonné lorsqu'elle lui avait dit que l'étoile trouvée dans son tiroir avait appartenu à Del. D'ailleurs il avait proposé qu'ils aillent tout de suite voir la police. Pendant le trajet, il lui raconterait en détail comment l'étoile était arrivée en sa possession. Ils avaient fourré le vélo dans le coffre de la Subaru et il avait conduit, le visage d'une pâleur de cire, non pas en direction du poste de police, mais vers l'ancienne ferme des Griswold. Il avait garé la voiture dans les bois après avoir traversé les champs couverts de neige. Lorsque Opal avait compris qu'elle était dans le pétrin, il était trop tard.

« *Inspire, un, deux, trois, quatre ; expire, un, deux, trois, quatre.* »

— Je ne comprends toujours pas comment ta mère, enfin, Del, s'est retrouvée avec l'étoile, dit Opal.

— Elle l'a trouvée dans ma chambre. Zack l'avait prise à Tori et mise dans mon sac. Je ne sais pas si ça faisait partie d'un jeu psychotique biscornu ou s'il espérait que la police la trouverait dans mes affaires. Après tout le mal qu'il s'était donné pour la récupérer, on aurait pu penser qu'il voudrait la garder. Mais peut-être qu'une infime partie de son cerveau encore capable de raisonner savait que c'était dangereux de conserver quelque chose d'aussi compromettant. J'imagine qu'il a pris mon couteau suisse à ce moment-là.

— Alors, il… il essayait de te piéger ?

— Oui. Tout se combinait à merveille : le moment même où je suis arrivée en ville, alors que tout le monde connaissait mes rapports avec Del. J'étais une suspecte plausible. Il a fait tout ce qu'il a pu pour me faire porter le chapeau, il est allé jusqu'à laisser le couteau dont il s'est servi pour… faire du mal à Tori… chez ma mère, sur la table de la cuisine. Elle l'avait dans les mains le lendemain matin, et bon sang, à cause de lui, j'ai soupçonné ma propre mère ! Elle était sortie dans les bois la nuit où Tori a été tuée. On ne saura sans doute jamais ce qu'elle a vu ou pas. Je crois qu'en fait c'était Del qui utilisait ma mère pour te sauver.

— Le fantôme que j'ai vu quand je suis venue rechercher le blouson, c'était ta mère ?

— Je pense que oui.

— Et le soir où je t'ai rencontrée dans les bois ? demanda Opal.

— C'est drôle, répondit Kate. J'essayais de me débarrasser de ce que toi, tu cherchais. J'ai enterré l'étoile dans l'ancien cellier des Griswold. Nicky m'a convaincue de la déterrer le lendemain soir, je l'ai glissée sous mon oreiller et ma mère l'a trouvée. Je crois qu'avoir retrouvé cette étoile a donné à Del la force de revenir de si loin.

— Je m'étais bien trompée sur elle, dit Opal avec un grand soupir.

— Comme nous tous. C'est triste, vraiment. Elle a été aussi incomprise dans la mort que dans la vie.

— Toutes les fois où je l'ai vue, elle veillait sur moi, alors ? Elle me surveillait, elle essayait de me mettre en garde ?

— Oui, répondit Kate qui regardait dans le marc de son café en faisant tourner sa tasse. Je le pense, Opal, je le pense vraiment.

Raven et Nicky les rejoignirent, chargés d'un sac contenant du sirop d'érable, des bonbons, un tee-shirt orné d'un élan et un exemplaire de *La Vie dans le Vermont*.

— Ça devrait te faire tenir jusqu'à Noël, dit Raven.

— J'ai l'impression d'être une vraie touriste à présent, répondit Kate en acceptant le sac de cadeaux.

Elle paya l'addition et commença à rassembler ses affaires.

— Ça me fait drôle de partir, soupira-t-elle. Dire que ce soir je dînerai chez moi, dans ma cuisine. Bon sang, ce que mon micro-ondes m'a manqué ! Et mon lave-vaisselle ! Mais c'est bizarre, après tout ça…

— Kate, l'interrompit Raven, ne te tracasse pas pour ta mère. Meg dit que la Résidence des Épicéas est le top. Et on ira la voir tout le temps, hein, Opal ?

Celle-ci hocha vigoureusement la tête. Plus tôt dans la matinée, ils avaient laissé Jean devant une tasse de thé dans une petite salle à manger aux tables garnies de serviettes en tissu. Elle avait pris le pot de confiture et dit à Kate avec un clin d'œil :

« Des fraises, Sauterelle. Notre préférée. Mimi et moi on a fait plein de bocaux, cette année. C'était une bonne récolte.

— C'est vrai, maman, avait répondu Kate. La meilleure de toutes. »

307

Après bien des étreintes, des baisers et des promesses de coups de fil, ils regardèrent Kate passer les contrôles avant de se diriger vers son avion. Opal toucha le flacon de shampooing dans sa poche en la regardant partir. Lorsqu'elle se retourna, elle vit que Nicky avait les larmes aux yeux, ce qui était un peu bizarre, mais bon, il en avait vu de toutes les couleurs ces jours-ci.

— Elle revient pour Noël, dit-elle à l'homme dont elle venait d'apprendre qu'il était son demi-frère.

Il lui fit un pauvre sourire, comme un petit garçon à qui on a promis du dessert s'il finit ses épinards.

— On peut monter dans la tour d'observation ? demanda Opal.

— Si tu t'en sens capable, dit Raven.

— Je vous attends ici, déclara Nicky en s'installant sur un siège.

Opal partit en tête le long du couloir moquetté de gris et bifurqua vers l'étroit escalier de métal en colimaçon menant au sommet de la tour, l'endroit qu'elle préférait dans l'aéroport. C'était une pièce de la taille d'une petite chambre, aux murs couverts d'immenses vitres. Un vieux monsieur à qui il arrivait de faire visiter l'endroit avait expliqué que c'était autrefois la tour de contrôle, avant que la nouvelle ne soit construite. Quelques sièges d'un orange hideux faisaient face aux vitres, et un haut-parleur crachotant transmettait tous les contacts radio depuis la tour de contrôle. Opal et Raven étaient seules.

Opal se dirigea vers la vitre ouest et repéra le petit DC-9 qui amènerait Kate à Boston, où elle prendrait un avion plus grand pour Seattle. La fillette regarda

308

le dernier passager gravir la passerelle. En quelques instants, celle-ci fut remontée, la porte fermée, et l'avion roulait sur la piste, tandis que le pilote jacassait en langage radio avec le type de la tour de contrôle.

— Allez, ma puce, on y va, dit Raven, Nicky nous attend.

Elle commença à descendre, les talons de ses bottes résonnant sur les marches de métal.

— J'arrive ! répondit Opal.

Mais là, sur le tarmac, elle vit quelque chose, juste au moment où l'avion de Kate décollait. Un petit point lumineux sur l'aile, comme si quelqu'un envoyait un signal avec un miroir. Il frappa son visage, rebondit sur la vitre derrière elle et disparut. L'avion quitta le sol et s'inclina sur la droite, en prenant progressivement de la hauteur.

Là, sur l'aile, il y avait Del, sa sœur, son étoile argentée étincelant dans le soleil, les bras en croix comme si elle faisait un petit numéro de danse intrépide, défiant les lois de la pesanteur. Son chemisier de cow-girl se gonflait au vent, et ses cheveux volaient autour de son visage tandis qu'elle s'élevait dans les nuages, à califourchon sur le gros oiseau blanc – la plus grande cascadeuse aérienne de tous les temps. Et même à travers la vitre épaisse de la tour d'observation, Opal entendit pour de bon un rire fuser dans le vent, suivi de ce défi joyeux : « *Tu m'attraperas pas !* »

Remerciements

J'aimerais remercier mon agent, Dan Lazar, et mon éditrice, Jeanette Perez, ainsi que tous ceux qui, chez HarperCollins, ont permis à ce livre de voir le jour. Et aussi Michael Hatch, Coleen Kearon, Donna Thomas, Paul Garstki et mes parents, Donald et Dorothy McMahon. Et enfin, Drea Thew, qui est derrière toutes mes réussites, dans l'écriture comme dans la vie.

Vous croyez que c'est un secret, mais vous vous trompez.

Composition et mise en pages : FACOMPO, LISIEUX